産経NF文庫
ノンフィクション

中国人の少数民族根絶計画

楊 海英

潮書房光人新社

香港は、内モンゴルと新疆ウイグル自治区の轍を踏もうとしている
――まえがきに代えて

二〇一九年一二月現在、香港政府や中国共産党に対する抗議活動、大規模なデモが続き、大きなニュースとなっています。香港の人々も中国に同化されることへの大きな懸念を抱いていることでしょう。

少し前まで世界はこう香港人を見ていたのではないでしょうか。政治に無頓着で、「金儲けさえしていれば、満足する人々」――。

経済的利益にだけ没頭する、と。しかし本当はそうではありません。香港人の間では政治への関心だけでなく、「民族意識」も高まっています。すでに半年以上続いた大規模デモがそれを物語っています。

私は香港が「祖国の懐に回帰」した直後の一九九七年夏に同地を訪ねました。本土で使われる「普通話」で話し掛けるとあからさまな嫌悪感を示され、代わりに英語を

使うと、満面の笑みだったことを鮮明に覚えています。「言葉の好き嫌いの問題は、英国による植民地支配の残滓だろう」と、中国人識者は認識していました。しかし、私には一種の民族意識が根底に潜んでいるのではないか、との感覚がありました。今、香港を席巻している大規模な抗議活動はまさにその民族主義が成熟し、マグマのように爆発しています。

二〇一六年、とある知人を通して、本の推薦文執筆の依頼が私のところに届きました。香港の知識人である徐承恩の名著『香港――躁鬱な都市国家』（二〇一七年、台湾左岸文化出版）です。一読すると、著者は「香港民族」との新しい概念を提示しています。

その香港民族は、紀元前から東アジアの南部に暮らしていた「百越」の後裔で、近世の大航海時代に突入してからポルトガル人やイギリス人、中国人難民との混血で融合して形成されたものだ、と主張。漢族の一集団ではなく独自の民族である以上、民族自決権を行使し都市国家を建立すべきだ、と端的に宣言しているのです。

人類は古代において、ギリシャもローマも都市国家からスタートしている、今一度原点に戻って、人権と民主主義の都市国家を造ろう、という斬新な内容の著書でした。私はこの本の学術性を高く評価し、複数の研究者らと共に推薦文を寄稿しました。

「台湾よりたちが悪い」

いずれ香港の中国化は止まるだろう、と期待していましたが、中国化を阻止する運動は今まさに大きな奔流となり始めました。「香港民族」が目指す「都市国家」の建設を北京当局はどのように理解しているのでしょうか。

「香港は実は台湾よりもたちが悪い」

と、中国本土への容疑者引き渡しを可能にする「逃亡犯条例」改正案に反対する学生たちが結集した初期の段階で、人民解放軍のある将校は批判していました。

いわく、中国大陸と隔絶した台湾には「善良な人（共産党の善し悪しが分からない人のこと）」が多く、「中国を正しく理解している」のに対し、香港は「反共基地」であり続けた。下野するまで台湾を支配した国民党は共産党と一卵性の双子兄弟のような存在で、どちらもソ連の援助でつくられた民族主義政党である。敵対してきたとはいえ、独立に傾斜することはない、と。

これに対し、香港人は漢族ではなく「野蛮人の百越の子孫」だ、との差別的な見方が中国当局側にあります。その「野蛮な百越」に筋金入りの「反共分子」が加わり、さらに「英国帝国主義の悪しき教育を受けた」ために、香港の離反が加速している、と北京は認識している節があります。

それでも、共産党政権は香港をさんざん利用してきました。香港を窓口にして西側の情報を収集し、金融センターとしての利点を十二分に活用。先端技術と豊富な資金を延々と本土に吸い上げたのです。

ただし自分が強くなったので香港を切り捨てるかというと、そうもいかない。北京の中国政府にとって、情報収集窓口や金融センターとしての利用価値は下がりつつあるが、それ以上に重要なのは香港が共産党高官たちの「蓄財の要塞」として機能している点です。

国家主席の習近平を含め、共産党政権の高官たちはほぼ例外なく香港に不正に獲得した財産を隠匿している、と報道されています。「祖国内部に不正蓄財」するわけにいかないので、彼らは今後も「半死」状態の香港に、限られた「繁栄と自治」を与え続けるでしょう。となると「香港民族」の都市国家建設の夢も消えないのではないでしょうか。

しかし、都市国家建立までの道のりは険しいと予想されます。というのも、中国は今まで以上に苛烈な弾圧を加えるでしょう。たとえトランプ大統領のアメリカ政府が「香港の人権と民主化を守る法案」を成立させたとしても、中国は国際社会を無視し続けるでしょう。というのも、複数の前例があるからです。言い換えれば、中国政府と中国人たちの異民族など中華周辺世界、ひいては国際社会を見る目と、対処の方法が常に自己中心的で、暴力的であるからです。

その数々の実例を近現代史の脈絡のなかで示そうとしたのが、本書のねらいです。本書は内モンゴルと新疆ウイグル自治区、それに日本といった中華世界と異なる世界に暮らす人々がいかに中国の進める暴力的空間に巻き込まれてきたのかを事実で物語ろうとして書いたものです。

内モンゴル出身のモンゴル人の私は日本語で執筆し、あらゆる媒体を介して中国政府と中国人の暴力性について語ってきました。本書は私が二〇〇九年以来に『毎日新聞』と『静岡新聞』、それに『産経新聞』と『世界』、『正論』等の紙誌上において発表した論評を新しい主旨に沿って書き直したものです。新しい主旨とは、モンゴルから世界をどう見るのか。なかでも特に日本と中国との関係をいかに理解すべきかに重点を置いた議論です。従って、本書にはモンゴル人の見方、また一人の文化人類学者の見解が含まれています。

私は自分自身を「亡国の知識人」だと位置づけています。万里の長城の北側の草原に、モンゴルという国家がありましたし、二〇世紀以降も存続しつづけるべきでしたが、中国に滅ぼされました。しかし、ほんの一部だけ、モンゴル高原にまだ「モンゴル国」という小さな領土は残っています。そこは私たち南モンゴル（内モンゴル自治区）のモンゴル人たちの心の祖国ですが、一部しか維持できてないので、「半壁の山河」ですし、「偏安の小国」です。

賢い読者はもうお分かりかと思いますが、「半壁の山河」や「偏安の小国」との表現もシナ史からの借用です。歴史上、北方の遊牧民に圧迫されて、長江以南に残った小国の南宋などを指して、シナの知識人たちはそのように嘆き悲しんだのです。

「国破れて、山河あり」、と唐代の詩人の杜甫は歌いました。

「山河破砕し、風は絮を飄し、身世浮沈　雨は萍を打つ」、とモンゴルに滅亡させられた宋の文天祥は詠みました。詩人たちのほかにも数多くの哲学者たちが思索し、「夷狄が中華に入って天下を取る」不思議の謎を解こうとしました。シナの知識人にとって、遊牧民に征服されるのは耐えがたき屈辱だったのを私は今、身を持って経験しているところです。

私はこのように自身をシナの亡国の詩人や知識人に置き換えて思考していますが、シナの中華思想で武装された知識人たちは一度も私たちの立場に立って少数民族政策を考案したことはないのではないでしょうか。中華に同化してどこが悪い。お前らは

「立ち遅れた野蛮人はシナに同化することで文明開化しているのではないか」、と彼らはそのように思いこんでいるので、民族問題は発生し、解決できないのです。

私は名実ともにシナに滅ぼされたモンゴル国の生き残った「亡国の知識人」であり、かなり同化させられたので、このように漢詩を引用したり、シナのかつての亡国の知識人たちの生き方を研究したりしているのです。

「カモシカの仔は家畜にならない。シナ人の言うことは信用できない」

と子どもの頃からモンゴルの大人たちはずっとそのように語っていました。モンゴル人の民族の信念です。生まれたばかりの野生のカモシカの仔を人間が拾って大事に育てても、絶対に家畜のように馴れることはなく、瞬時に逃げてしまう。シナ人は媚びるような笑顔で草原に現れ、粗末な商品で遊牧民を騙して放牧地をのっとる。誠実なシナ人に、ステップの遊牧民はまだ、歴史が始まって以来、一度も出会ったことはありません。

かつて六世紀から九世紀にかけてモンゴル高原で活躍したテュルク（突厥）の遊牧民たちは一体の石碑を残しました。石碑はモンゴル高原中央部のホショー・チャイダムに聳え立ち、そこには次のような警世の言葉が刻みこまれています。

「シナの民は言葉甘く、その絹布も柔らかい。甘い言葉と柔らかいシルクで以てわれわれを欺く」

このように、およそ一五〇〇年前に形成した遊牧民のシナ観はまったく変わっていません。シナは邪悪な存在である、と草原の民はそのように見てきました。私は日本に来てから早くも二五年の歳月が過ぎようとしています。この二五年間の間でいろんな日本人に出会いましたが、どうしても肌が合わない人々がいます。「日中友好」を説く人たちです。そのような「日中友好論者」たちを見て、日本に来たばかりのころは、「なんて天真爛漫な人たちでしょう」と不思議に感じていましたが、やがて気付きました。「日中友好論者」たちはたいてい、中国に行ったこともなければ、中国に関する本を体系的に読んだこともないことです。

あるいは、北京や上海といった大都市を少し回っただけで、高級ホテルに泊まって、中国の政府関係者から「乾杯」させられて酩酊した人たちです。

たとえ北京や上海でも、一歩でも路地裏に入れば、シナ風の猥雑さと非衛生的な現実、そしてその低俗的な反日の精神構造に出会うはずです。中国社会の実態を知らずに、中国人の精神構造を知らずに夢のような「日中友好」を話す人たちの価値観は、小さい時から中国人に虐待され、騙されて育ったモンゴル人とは、生理的に合わないです。

私は文化人類学者ですので、どうしても人間を観察してしまいます。「日中友好論者」たちはまた今や希少種になった左翼たちと同じく、非常にケチな人が多いのも特徴的です。分かりやすくいえば、人間としての器が小さく、器量のない者ばかりです。

そのような人間的な魅力のない人たちと接触していますと、戦後、占領軍総司令として日本に君臨したマッカーサー元帥の言葉を思い出します。「日本人はまだ一二歳だ」、と数十万通もの手紙をもらったマッカーサーは感想を述べたそうです。昨日までの「鬼畜米英」のリーダーを「尊敬する閣下にして解放者」と呼び、なかには「天皇を廃されよ」との極論までも含まれていたのは事実です（袖井林次郎『拝啓 マッカーサー元帥様―占領下の日本人の手紙』、大月書店、一九八五年）。

掌を変えたようなごく少数の日本人の無節操な姿勢が、私には「日中友好論者」たちと重なって見えます。私たちモンゴル人の社会では一三歳を以て成人と見なしますが、「日中友好論者」たちはどう見ても、まだ一三歳には達していないと言わざるを得ません。ぜひ、「日中友好論者」たちにも中国共産党支配下の内モンゴル自治区や「反テロの前線」たる新疆ウイグル自治区、焼身自殺による抗議活動が続いているチベットにも足を運んでほしいものです。

もっとも、信念を以て、中国人による少数民族政策は正しい、と主張する人がいれば、それはそれで一つの思想として尊重しなければなりません。

私は「日中友好論者」は好きではありませんし、「日中友好」なんかの夢物語も実現できるわけもないと確信しています。なぜかというと、「日中友好」は私たちモンゴル人がいやになるほど聞かされてきた「民族団結」とまったく同じようなレトリックからなっているからです。少しでも中国政府や中国人たちの抑圧的な態度に対して是正を求めると、たちまち「民族分裂的」とされて粛清されてしまいます。ちょっとだけ中国政府にものをいうと、すぐさま「日中友好に不利な言葉を吐いた」とされて批判されるからです。

日中はフィクションとしての「友好」ではなく、普通の関係になった方が、双方にとって幸せです。さらにもう一言言いますと、実は中国も左翼のセンセイたちや「日中友好論者」たちのことがあまり好きではないです。というのは、彼らはやはり、ケチくさいし、発想がシンプルで、人間的な魅力に欠けているからです。物事の本質を見落としているからです。

二〇一九年一二月

楊　海英

中国人の少数民族根絶計画——目次

第三章 シナの謀略「民族絶滅」

第四章 ユーラシア外交が日本を救う

第五章　日本が内モンゴルと同じ轍を踏まないために

第六章　独裁者習近平の外交と日本

ロシア
モンゴル国
ハルピン
内モンゴル
自治区
北朝鮮
日本
ウルムチ
新疆ウイグル自治区
ロプノール
フフホト
北京
オルドス
韓国
甘粛省
タリム盆地
タクラマカン
沙漠
寧夏回族自治区
青海省
中国
四川省
チベット自治区
台湾
雲南省
フィリピン
ミャンマー
ハノイ
ベトナム
タイ
カンボジア
インド洋

本書関連地図
イスタンブール
アンカラ
トルコ
カザフスタン
ウズベキスタン
アンディジャン
トルクメニスタン
タシケント
キルギス
イラク
タジキスタン
イラン
アフガニスタン
カブール
イスラマバード
サウジアラビア
パキスタン
ネパール
オマーン
イエメン
インド
アラビア海

※「盟」は中国・内モンゴル自治区（モンゴル国と接する中国領北沿に位置する自治区・モンゴル語での呼称を和訳すると「南モンゴル」）の行政区画の単位名・モンゴル語「アイマク」の漢訳。「旗」はそれよりも下級行政区単位名

文化大革命中の内モンゴル自治区

※数字は各地域において殺害されたモンゴル人の数
（データには諸説あり、今後も検証が必要である。ここに記したのは、文献、資料等において現在までに明らかにされている数字の一部である）
※太線の外側は1967年7月に割譲されたモンゴル固有の領土である。

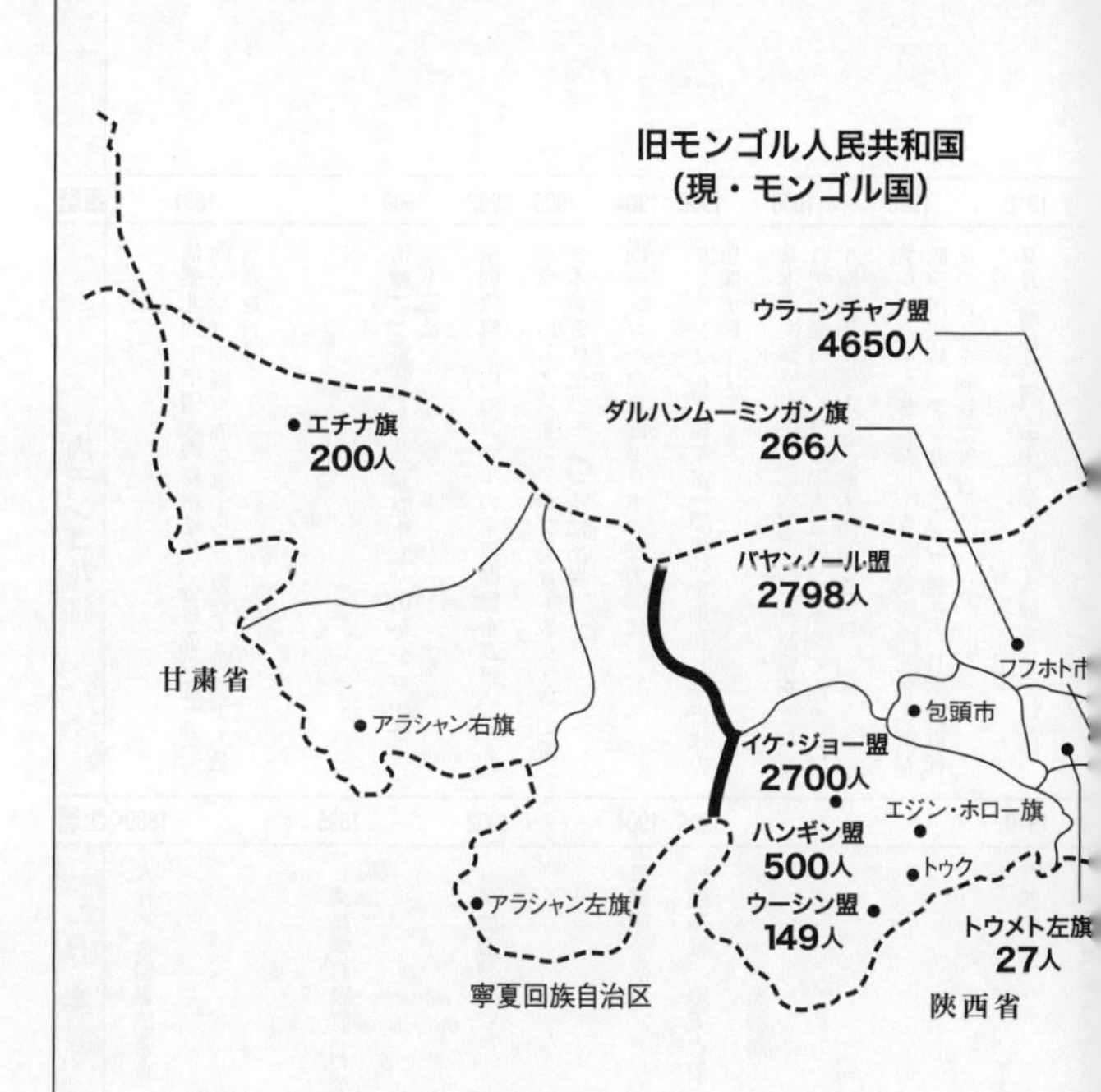

王朝	清

中華世界

西暦	
1894	日清戦争おこる
1895	日清講和条約（下関条約）調印

内モンゴル

西暦	
1891	清朝北部で中国人の秘密結社「金丹道の乱」勃發。内モンゴル南東部ジョーウダ盟など各地で大量虐殺を行う
1900	清朝に「義和拳の乱」が発生し、内モンゴル各地にも波及
1902	清朝政府、内モンゴルの草原開墾を許可
1903	ハラチン王グンサンノルブが日本式女学校創設。日本型近代化内モンゴルに出現
1904	内モンゴル南東部が日本の勢力圏に
1905	グンサンノルブ親王が『嬰報』を創刊し、近代の新聞が誕生する
1906	日本が南満州を、ロシアがモンゴル高原をそれぞれ勢力圏に置く。中国人軍閥、大挙して内モンゴル南東部に侵入し、武力開墾を強行
1908	フルンバイル草原とバーリン草原の開墾を清朝政府が決定。グンサンノルブ親王が日本型近代化の普及を朝廷に進言
1910	9月、清朝政府、中国人の草原入植を正式に許可

日本

西暦	
1889	大日本帝国憲法発布
1895	台湾総督府設置（台湾統治）
1902	日英同盟調印
1904	日露戦争開戦
1905	旅順開城、奉天占領 ポーツマス条約調印
1910	日韓併合

中華民国

1911
辛亥革命おこる
清朝崩壊

1912
中華民国政府樹立。孫文が臨時大総統に就任。まもなく、清朝の軍閥・袁世凱に政権委譲
中国最後の皇帝・宣統帝（愛新覚羅溥儀）が退位

1921
コミンテルン、李大釗と陳独秀に中国共産党を設立させる

1924
ソ連の援助で国民党と共産党が協力関係を結ぶ（第一回国共合作）
モンゴル人民共和国成立

1926
蒋介石ひきいる国民党軍、各地の軍閥制圧をめざし北伐開始

1927
蒋介石、上海でクーデターをおこし、国民党から共産党員を排除

1911
北モンゴルを中心に、モンゴル独立宣言

1912
内モンゴル東部フルンバイルが独立宣言。グンサンノルブ親王が川島浪速と内モンゴル独立を推進。内モンゴル各盟・各旗が独立に同調

1913
モンゴル国軍南下し、内モンゴルの解放を目指す
中国人軍閥が各地のモンゴル貴族を武力で制圧し、独立放棄を強制する

1915
バボージャブ軍が内モンゴルに入り、同胞の解放を目指し、翌年10月に林西にて戦死。対中二十一カ条により、内モンゴルにおける日本の権益が強化される

1922
7月、中国共産党第二回党大会開催。内モンゴル、チベット、新疆が「民主自治邦」を創り、中華連邦の一員として加わるのが望ましいとの方針決定

1925
10月13日「内モンゴル人民革命党」成立大会が張家口にて開催。一部党員がコミンテルンの指示にしたがい、ソ連とモンゴル人民共和国へ留学

1927
内モンゴル人民革命党、8月にウランバートルにて改組会議

1912
明治天皇崩御

1923
関東大震災

王朝	中華民国

西暦	中華世界
1931	南満洲鉄道爆破事件（柳条湖事件）をきっかけに日本の関東軍が満洲制圧。満洲事変
1934	溥儀、満洲皇帝となる
1937	シナ事変はじまる 日本軍、南京占領。蒋介石ら、重慶に逃れる 日本の支援により、南京に汪兆銘を首班とする国民政府が成立

西暦	内モンゴル
1929	6月、コミンテルンの指示により、雲澤、テムールバガナ、ポンスクらが内モンゴルに戻り、革命活動を展開。ホルチン左翼中旗にて反中国人入植のガーダーメーリンが蜂起
1931	内モンゴル人民革命党地下活動に方針転換。秋、グンサンノルブ親王逝去
1932	内モンゴル東部の貴族ら「満洲国」建国式に参加。興安省満洲国治下に入る
1933	ジョーウダ盟とジョソト盟が満洲国に編入。7月に徳王が第一回内モンゴル自治会議を招集
1935	2月20日「中華ソヴィエト中央政府対内モンゴル人民宣言」（三・五宣言）を公布。日本は徳王の内モンゴル独立を支持すると約束
1936	徳王の蒙古軍政府が成立。毛沢東が内モンゴル人民革命党党首に書簡を送り、モンゴル人が独自の国家政府を樹立することを支持すると表明
1937	徳王の蒙古連盟自治政府成立

西暦	日本
1932	満洲国建国宣言 五・一五事件（犬養毅、暗殺される）
1936	二・二六事件（斎藤実、高橋是清、暗殺される）
1939	ノモンハン事件（満洲国とモンゴルの国境線をめぐる日ソ両軍の戦い）
1940	日独伊三国同盟
1941	日ソ中立条約調印

中華人民共和国

1945
日本の敗戦により、南京政府消失。蒋介石の国民党政府、首都南京を回復

1946
国共内戦はじまる

1949
共産党軍により南京陥落。中華人民共和国成立
毛沢東が中央人民政府主席に就任

1950
中国共産党、東チベット占領

1955
新疆ウイグル自治区成立

1949
徳王、モンゴル人民共和国へ亡命

1950
「反革命分子を鎮圧する運動」(鎮反)がはじまる。各地でモンゴル人弾圧が発生。9月、徳王、中国に強制送還される

1954
内モンゴル自治区と綏遠省が統一。蒙綏軍区が内モンゴル軍区に改名し、ウラーンフーが司令官に就任、同時に、中華人民共和国国務院副総理、民族事務委員会主任、国防委員会委員に任命される

1955
ウラーンフーがモンゴル人民共和国で使用されているキリル文字モンゴル語を推進

1956
内モンゴルの集寧からウランバートルにつながる鉄道が開通

1957
周恩来、「青島会議」で「中国の少数民族は自治共和国を創るべからず」と演説。内モンゴル自治区でのキリル文字の学習が困難になる

日本軍、ハワイ真珠湾を攻撃(日米開戦)

1945
東京大空襲
広島・長崎に原爆投下
ポツダム宣言受諾、敗戦

1946
日本国憲法公布

1950
朝鮮戦争おこる

王朝	中華人民共和国

中華世界

西暦	
1958	チベット北部青海省アムド地区平定作戦にて、共産党人民解放軍が抵抗するチベット人11万6千人を殺戮
1959	「大躍進政策」の失敗により毛沢東、国家主席を辞任 ダライ・ラマ一四世がラサを脱出、インドのダラムサラに亡命
1965	チベット自治区成立
1966	毛沢東が復権をめざした全国規模の粛清運動「プロレタリア文化大革命」はじまる。劉少奇、鄧小平ら失脚

内モンゴル

西暦	
1958	各地にて人民公社が成立し、モンゴル人の家畜が強制的に公有化される 毛沢東、成都にてウラーンフーに「民族主義の飯と、共産主義の飯、どちらを食うのか」と警告
1959	家畜の公有化にともない、各地で飢謹と家畜の大量死が発生。包頭市に国立鉄鋼コンビナートが誕生し、大量の漢人囚人が労働者として移送される
1960	ウラーンフーが草原開墾を制限するよう指示する。中央政府は中国人の飢饉問題を解決するために大規模な草原開墾を求め、対立が生じる。内モンゴル東部の農耕地帯に餓死者多出。河北省、陝西省、山西省から中国人難民が流入
1964	毛沢東、「民族闘争の本質は階級闘争だ」と提示する
1965	文革の助走となる「四清運動（政治、経済、組織、思想を清める政治運動）」続く 内モンゴル自治区に大干ばつ発生、ウラーンフー、家畜の保護を強調
1966	共産党、ウラーンフーの「内モンゴル自治区党委員会第一書記、華北局第二書記」「内モンゴル軍区司令官兼政治委員」「内モンゴル大学学長」などポストを剥奪
1967	「内モンゴル問題を処理する決定」が共産党中央から出される。ウラーンフーへの批判を強化

日本

西暦	

1971 共産党副主席・林彪が毛沢東暗殺計画に失敗、亡命機がモンゴル人民共和国領内で墜落、死亡

1972 ニクソン米大統領、訪中

「林彪と孔子批判」運動展開。モンゴル人大量虐殺の責任を次第に林彪へ転嫁する動き

1976 毛沢東歿。毛沢東夫人・江青ら文化大革命を主導した「文革四人組」逮捕

1977 鄧小平、最高指導者に復活

1989 天安門事件（民主化を求めるデモ隊を人民解放軍が武力弾圧）

2008 北京オリンピック開催

チベット騒乱（中国政府のチベット弾圧に抗議、独立を求めたデモを軍が鎮圧、多くのチベット人を虐殺）。以降、チベット人による焼身抗議があいつぐ

2011 内モンゴルで反政府抗議デモ

1968 滕海清ら北京にて江青夫人と毛沢東側近の康生からモンゴル人粛清の指示を受ける

1969 中国政府、内モンゴル自治区を軍事管理下におく。河北省と山西省からの人民解放軍が内モンゴル各地に進駐。農村と牧畜業地域で解放軍と漢人による虐殺続行

1970 「内モンゴル前線指揮部」（前指）の命により、内モンゴル自治区の幹部約8千人が河北省の唐山に強制収容され、ウラーンフー批判を強制される

1988 ウラーンフー、北京にて逝去

1972 田中角栄首相、訪中。日中国交正常化

沖縄、日本復帰

1989 昭和天皇崩御

中国人の少数民族根絶計画

序章　中共による少数民族大虐殺

モンゴル人の女性。赤ん坊を抱いて聖地にお参りをしている風景

モンゴル人三〇万人の大虐殺

ここに一つ、大量虐殺に関するデータがあります。それは中国の文化大革命中（一九六六―一九七六）に行われたモンゴル人の大量虐殺に関するもので、加害者は中国の全人口の九四パーセントを占める漢族の人々です（以下、中国人と略す）。モンゴル人にとって、毛沢東を指導者とする中国政府が推進した文化大革命は、まごうことなき「ジェノサイド」でした。それは「民族の集団的な記憶」として、今なおモンゴル人の記憶の中に残り続けています。

一九六六年に中国で文化大革命が勃発した当時、内モンゴル自治区には一五〇万人弱のモンゴル人が住んでいました。その中で少なくとも三四万六〇〇〇人が逮捕され、そのうち二万七九〇〇人が殺されました。ほかに拷問されて身体的な障害が残った人が一二万人に達します。平均すれば、ほとんどすべての家庭で少なくとも一人が逮捕され、五〇人に一人が殺害されたことになります。

もちろん、この数字は中国政府が被害者数を操作し、極小化して発表した公式見解に過ぎません。一九八一年当時の内モンゴル自治区の書記で、中国人の周恵は「隔離され、審査を受けたモンゴル人の数は七九万人に達した」と発言していました。独自に調査したイギリスやアメリカの研究者は、およそ五〇万人のモンゴル人が逮捕され、そのうち殺害された者は一〇万人に達すると見積もっています。

また、内モンゴル自治区のジャーナリストや研究者たちによれば、直接殺害された人と釈放されて自宅に戻ってから亡くなった人、いわゆる「遅れた死」を合わせれば、モンゴル人犠牲者の数は約三〇万人に達するとしています。私も、これは妥当な算定だと思います。

殺戮のほかにレイプなど性的犯罪が横行し、強制移住と母国語の使用禁止も一〇年間にわたって強制されました。これらはすべて中国政府と中国人＝漢族主導で実施されたものです。その際には、過去に満洲国時代に「日本に協力した罪」と、モンゴル人民共和国との同胞同士の統一合併を目指した「民族自決」の歴史が虐殺の口実とされました。

この「文化的な革命」が終了した後も、モンゴル人被害者に対する謝罪や補償といった善後措置はほとんど講じられていません。これほどまでに数多くのモンゴル人が殺戮の犠牲となったにもかかわらず、内モンゴルにはモンゴル人犠牲者の名前を刻んだ記念碑ひとつありません。それどころか、虐殺事件について研究することも語ることも厳しく禁止されているのです。

これが現代の中国政府の標榜する「古くから統一された、多民族国家からなる幸福な大家族」の実態です。尚、本書でいう中国人（Chinese）とはもっぱら漢族を指します。モンゴル人やチベット人、それにウイグル人は中国人ではありません。国際政治に翻弄されて、仕方なく中国の国籍を選択させられたにすぎないのである。また、モンゴル人やウイグル人たちも中国人をシナ人（janagh）と呼びますが、こちらも差別用語ではなく、チベット語に由来する古い呼称であります。この点は歴史学者の岡田英弘の見解を集約した『シナ（チャイナ）とは何か』（藤原書店、

文化大革命中にモンゴル人の王再天（Namjalsureng）らを吊し上げている風景。中国には人間を虐待する無数の方法が編み出されている

二〇一四年）と共通しています。

中華型ジェノサイド

社会主義者たちは「民族の消滅」を理想の一つに掲げ、それを実現する為に奮闘してきた歴史があります。それは中国も例外ではありません。ただし、中国共産党は平和的、対話的な手法によるものではなく、文化大革命中の内モンゴルに見られるように、彼らが得意としてきた暴力によって「民族の消滅」を実現しようとしてきました。

二〇世紀の人類はナチス・ドイツによるホロコーストなど、多くの大量虐殺事件を経験しました。二度と凄惨な虐殺行為を繰り返してはならないと、一九四八年、国連総会において『ジェノサイドの防止および処罰に関する条約』が採択されました。当時の国連のメンバーで、中華民国政府も調印しています。その際の規定は、以下の通りです。

集団殺害とは、国民的、人種的、民族的または宗教的な集団の全部または一部を破壊する意図をもって行われる次の行為をいう。

a　集団の構成員を殺すこと

b　当該集団の構成員の肉体または精神に重大な危害を加えること

c　集団の全部または一部の肉体的破壊をもたらす為に意図された生活条件を、集団に故意に課すこと

d　集団内における出生を妨げることを意図する措置を課すこと

e　集団の児童をほかの集団に強制的に移すこと

残念ながら、条約採択後もジェノサイドは世界各地で発生しました。ただ、この種のジェノサイドは一九六〇年代には、世界的に終息しつつありました。ところが、社会主義中国では前時代的な災難がモンゴル人たちを襲ったのです。内モンゴルにおけるモンゴル人大量虐殺では、ここに記されたほぼすべての事が実行されました。

東京大学の石田勇治教授は、国民国家の統合と排除の論理が引き起こす暴力を、「国民国家型ジェノサイド」と分析しています。その意味では、内モンゴル自治区において発生したモンゴル人大量虐殺も「国民国家型ジェノサイド」に分類されるでしょう。ただ、「国家の統合と排除」という枠組みの中には、完全には収まらないのではないでしょうか。というのは、モンゴル人たちは一方的に中国政府から断罪され、殺戮されたのであって、ナショナリズムに傾倒したモンゴル人が中国人を殺すような対立の

構図が存在しないからです。

つまり、モンゴル人大量虐殺は、中華人民共和国が、清朝期と中華民国時代の分離独立運動の歴史を数十年後に再清算したという、特殊な動機を持つジェノサイドだったのではないか。中国人民族学者・費孝通(ひこうつう)の理論を拝借すれば、「兄貴たる漢族」が「弟の少数民族」の離反に対して制裁を加える形で断行されたのです。この費孝通という人物は、イギリスで社会人類学を学んだことがあり、最初は共産党の独裁政策にも反対していましたが、徐々に権力に媚びるような態度を取り、人生の後半では完全に御用学者に変節しました。もっぱら少数民族を如何に統治すべきかとの政策を政府の為に練る政治家となり、一九八九年に「中華民族多元一体構造論」を出しました。

中国人=漢族が中心となって、諸民族は早晩、中国人に同化し融合していくべきだとの政策論であります。費孝通の政策論に対し、諸民族の識者たちは反対しています。しかし、習近平政権はこの「中華民族」論を更に政策化し、国家の復興と結びつけています。それが、「中華民族の偉大な復興」論の背景です。「中華民族」という理論と大量虐殺という事実を並べてみれば、それは「中華型ジェノサイド」だったといえます。この「中華型ジェノサイド」の被害者はモンゴル人だけでなく、チベット人やウイグル人もまた犠牲者であります(1)。

「反革命分子」とされる人物を処刑する中国共産党。
中国では、死刑執行の場は一種の祭の騒ぎになる。
抑圧されていた人たちが、他者の死刑を見て喜ぶ

内モンゴル自治区に住むモンゴル人は、内モンゴルにおける文化大革命を「モンゴル人のみを対象とした殺戮行為」と認識しています。満洲国で日本式の近代教育を受け、近代思想を身につけたモンゴル人たちを、中国人は「日本刀をぶら下げた奴ら」や「日の丸を担いでいた奴ら」などと呼び、「対日協力者」だと批判しました。

物事を常に善悪の二項対立で思考しがちな中国において、共産党は「モンゴル人は対日協力者」だと断罪し、民族自決を目指した歴史も「祖国を分裂させようとした行動」だと、建国後一七年も経ってから批判し始めたのです。モンゴル人の近現代における行動は、すべて罪として再清算され、大規模なジェノサイドが内モンゴルの草原で発動されたの

です。

一九七二年の日中国交正常化の際、周恩来総理のような中国人の指導者たちは日本の政治家たちを迎えた席上で寛大な大人（たいじん）の微笑みをみせて、戦争の責任を「一部の日本人軍国主義者や侵略者の責任」に帰しました。しかし一方で、中国人は決してモンゴル人の「日本刀をぶら下げた奴ら」の「対日協力の過去」を忘れなかったのです。

日本には一種の宗教信仰のような「周恩来崇拝」あるいは「教祖周恩来跪拝」があります。それは、たぶん周恩来がほんの一時的にではありますが、日本に滞在したことに由来するものでしょう。実際の周恩来は日本語もほとんどできなくて、日本に対しても厳しい態度を取り続けた人物であります。それでも、周恩来を新宗教の教祖のように信仰する人たちは一種の「偉人崇拝」の精神状態から脱出できていないのではないか。

周恩来は人民解放軍がチベット人を大量虐殺したり、寺院を破壊したりするのを直接指示していたし、モンゴル人ジェノサイドも正しい革命的な行動だった、と死ぬ直前まで主張していました。日本のシナ・シンパたちにとっては恩人であるかもしれませんが、彼は少数民族に対して、人道に対する罪を犯したことに責任があるのを忘れてはいけません。

ウラーンフーと内モンゴル人民革命党

いかにして文化大革命は、モンゴル人大量虐殺へと至ったのでしょうか。

内モンゴル自治区におけるジェノサイドの序章は、一九六六年五月一日にモンゴル人の最高指導者ウラーンフー（一九〇六―一九八八）が失脚に追い込まれたことでした。ウラーンフーが失脚すると同時に「ウラーンフー反党叛国集団」を批判するキャンペーンが自治区全域で開始されます。続いて一九六七年一一月末から「ウラーンフーの黒い路線を抉り出し、その毒害を一掃する」運動と「内モンゴル人民革命党員を抉り出し、粛清する」闘争が展開されました。

ウラーンフーは中華人民共和国より二年半も先に成立した内モンゴル自治政府を精力的に運営していました。自治政府が自治区になると、一九五七年からは自治区人民政府主席、中国共産党内モンゴル自治区委員会書記、内モンゴル軍区司令官兼政治委員、内モンゴル大学学長など、モンゴル地域の権力を一身に集めていました。自治区の全権を握った少数民族出身のウラーンフーの存在は、共産党が標榜する「民族自治のシンボル」だったのです。

ウラーンフーとはモンゴル語で「赤い息子」との意味で、すでに中国化の進んだ内モンゴル南西部のトゥメト地区出身の彼は、「共産主義の申し子」でした。モスクワに留学してコミンテルンの正統教育を受けただけでなく、中国共産党の割拠地・延安では毛沢東流の苛烈な政治闘争も経験しています。彼はソ連でマルクス・レーニン主義による民族自決の思想を学び、「中華民主連邦」のような体制内で、ソ連型の民族自決の国家群をつくりたかった。

しかし、彼の夢は毛沢東や周恩来らによって葬られ、民族問題は一層、深刻かして今日に至ります（楊海英著『中国とモンゴルのはざまで――ウラーンフーの実らなかった民族自決の夢』）。

実際のウラーンフーは「民族分裂主義者」どころか、むしろ彼は内モンゴルを中国にとどめておく為に犬馬の労を尽くした人物であり、モンゴル人たちを中国籍の人間に改造するのにも貢献した功臣でした。にもかかわらず、彼をリーダーとする「反党叛国集団」が絶えず「民族分裂」の為に策動してきたと批判されたのは、簡単に言えば、やはりモンゴル人だったことに尽きます。親中国派まで「民族分裂」的活動を進めていたならば、モンゴル人全体が根絶やしの対象にされやすくなります。

ウラーンフーは正真正銘の共産主義者でしたが、同時にまた熱狂的な民族主義者でもありました。モンゴル人の伝統的な遊牧生活を維持するために、中央政府が推進する「中華風の文明人」の生活である、定住化や農民化の導入を拒否しました。また、内モンゴルへの中国（シナ）人の入植を推進する政策にも抵抗していました。一種の「文明の衝突」ですが、その為に中央の幹部たちの目には、「中国に対する忠誠心」が希薄であると映ったのです。

また、一九六四年から、中国政府は全国規模で「四清運動（社会主義教育運動）」を推進しました。ところが、その頃、ウラーンフーは四清運動とは無関係な「反大漢族主義キャンペーン」を内モンゴル自治区で主導していました。ウラーンフーの純粋な民族主義の発露でしたが、これも彼の印象を悪くしました。

国際情勢も中国の少数民族政策に影響を及ぼしました。一九五六年の「ハンガリー動乱」などの処理を巡って、中国とソ連の間に溝が深まり始めていました。いわゆる「ハンガリー動乱」とは、一九五六年一〇月から勃発した反全体主義の闘争です。最初は穏便な形で共産党支配体制の改革を市民たちは求めていたが、二度にわたるソ連の武力干渉を招きました。数十万人が反革命の罪で処分され、社会主義陣営に動揺をもたらしました。東ヨーロッパ諸国の知識人たちの反共思潮をみた中国共産党は「反右派運動」を発動しました。

中国共産党に不満を抱く「右派」一二〇万人を粛清した後は更にソ連と対峙していきます。ソ連のフルシチョフによるスターリン批判を受けて、中国は一九六〇年代初めから「ソ連修正主義」に反対する姿勢を鮮明にします。いわゆる「中ソ対立」です。そうなると、ソ連およびモンゴル人民共和国の軍隊が侵攻してきたときに、内モンゴルに住むモンゴル人たちが果たしてどち側につくのかが、極めて重要な問題になってきました。

その意味において、中国共産党にとってモンゴル人には二つの「前科」がありました。一つには、一九三二年に満洲国が建国された際に、積極的に日本に「協力」して、多くの「日本刀をぶら下げた奴ら」が誕生したこと。もう一つは、日本軍が去った後に「日本刀をぶら下げた奴ら」を中心として、今度はモンゴル人民共和国と内モンゴルとの統一を進める運動を繰り広げたことです。その点、ウラーンフーは延安で訓練を受けたとはいえ、彼が満洲国の役人と軍人だった「日本刀をぶら下げた奴ら」を、ほぼそのまま温存している事実も問題視されました。

このような近代史と現状から判断すると、中国人にとってモンゴル人は信用に値する者たちにはみえなかったのです。ただし、歴史的な事実をいうならば、モンゴル人たちは決して無原則に日本に「協力」したわけではありません。モンゴル人にとって、敵はずっと中国で、中国からの独立はいわば一九世紀末からの民族の宿願でした。その民族のかねての願望を実現させる為には、日本の力でもロシアの援助でも、何でも利用したかったのです。モンゴル人たちは日本の力を借りて、中国人たちを追放して、独自の国家を創りたかったのです。これが、満洲国時代のモンゴル人たちの素直な心情でした。

ソ連修正主義に反対せよ、という中国のポスター

　社会主義時代になると、中国人たちはモンゴル人の過去を思い出して、次のように話しました。

「内モンゴルは国境地帯から北京まで平らな草原が続き、敵は数時間でやってくる」と、中国共産党の指導者たちは真剣に話し、公文書にも記録されていました。内モンゴル自治区は「修正主義者」のソ連やモンゴル人民共和国と国境を接し、いざ修正主義者の軍隊が攻めてきたときのモンゴル人たちの動向が定かでない以上、やはり事前にその精鋭を集団粛清するのが無難な防備策でした。結局のところ、中国のほかの省や自治区に先駆けて内モンゴル自治区で文化大革命が推進された真の目的はここにあったのです。

民族全体が人民解放軍の標的に

ウラーンフーという一指導者を失脚させるだけでは、モンゴル人全体の分裂主義的思想を払拭することはできない。「偉大な祖国の統一を破壊する」運動を根絶する為には、その背後の集団を一網打尽にする必要がある。このように断罪した中国共産党は、ウラーンフーを引きずりおろした後に、その「母体」とされる内モンゴル人民革命党員の粛清へと攻撃の狙いを定めたのです。

内モンゴル人民革命党は、一九二五年一〇月に成立された政党です。中国による植民地支配を打破して、モンゴル民族の解放を目指した政党です。ウラーンフーもこの政党の党員でした。一九三二年に満洲国が成立すると、内モンゴル人民革命党の党員たちの多くは地下に潜伏しました。日本もその状況を把握していましたが、脅威にならないと判断して、逮捕したりしなかったのです。

日本が敗戦すると、内モンゴル人民革命党は瞬時に公開活動を開始して、モンゴル人民共和国との統一合併を目指したのです。そのような内モンゴル人民革命党を中国人たちは一九四七年に解散しました。従って、中華人民共和国時代には内モンゴル人民革命党なんか存在していなかった。しかし、一九六七年あたりから、中国共産党はふたたび内モンゴル人民革命党の歴史を問題だとして、逮捕を始めたのです。

モンゴル人の指導者、ウラーンフーを打倒せよという中国のポスター

自治区の最高指導者のウラーンフーでさえ「民族分裂主義者」なのだから、満洲国時代に「日本刀をぶら下げていた」ほかのモンゴル人がそうであることは間違いないというわけです。

ウラーンフーの失脚にともなって、内モンゴルでは大衆同士の武力衝突が頻発し、半ば内乱状態が続いていました。これに対して混乱収拾という名目で、毛沢東と共産党中央は一九六七年四月に滕海清将軍を派遣しました。滕海清将軍は直属の北京軍区の精鋭を率いてフフホト市に入り、内モンゴルを掌握しました。将軍は内モンゴルに入るやいなや、すぐに号令を発します。一九六七年一一月九日、フフホト市で開かれた会議で、滕海清は「内モンゴル情勢に関する談話」を発表しました。滕海清は、南中国の安徽省出身の中国人で、極めて粗野な人物でした。

「ウラーンフーは毛主席に反対した。（中略）ウラーンフーのブラック・グループのメンバーらに対する批判闘争をしないと、彼らに対する恨みもわいてこない。ウラーンフーをこっそり守ろうとする勢力もある。民族分裂主義者たちだ。（中略）ウラーンフーの黒い路線を抉り出し、ウラーンフーの弊害を一掃しよう」

中国語の中の「批判闘争」は「リンチを加えて吊し上げる」という暴力的な行為を意味しています。つまり、滕海清将軍は暴力を肯定した上で、人民にその行使を促したのです。

そして一九六八年一月一七日、自治区革命委員会第二回全体拡大会議の席上で、「毛主席の最新指示を綱領とし、プロレタリアート文化大革命の全面勝利を収めよう」と題する講話を発表し、一般的にこの講話の発表をもって「内モンゴル人民革命党員粛清事件」という大虐殺が正式にスタートしたとされています。

「ウラーンフーは民族団結を破壊し、祖国の統一を破壊した。（中略）彼の反革命集団は主としてソ連とモンゴル修正主義者のスパイ、日本のスパイ、蔣介石のスパイ、裏切者、匪賊たちである。ウラーンフーは内モンゴルの各民族の人民を資本主義社会に導き、内モンゴル自治区を祖国の大家庭から分裂させようとしている」

さらに、滕海清将軍は積極的に内モンゴル各地、各機関を視察してまわり、一九六八年五月二八日に自治区南部の集寧市を訪れると、「群衆大会」で次のような演説を行いました。

「敵に対する闘争はまだ殺気立っていない。まだ力が足りない。まだ手を和らげてはならない。ウラーンフーの黒い路線はまだ抉り出していない。敵はどこにいるのか？あなたたちの身辺にいるかもしれない。（中略）罪状が書かれた看板を首にかけて町の中を引きまわすだけでは不十分だ。政治の面から、思想の面から、理論の面からも批判闘争しよう。これは白兵戦だ。銃剣に血を浴びせよう」

このような物騒な言葉が内モンゴル自治区の津々浦々に伝えられました。将軍の講話にはマルクスやレーニンなどの難しい言葉は引用されておらず、中国人の大衆には非常に理解しやすいものでした。毛沢東と党中央の「最高指示」で派遣されてきた首長が「これは白兵戦だ。銃剣に血を浴びせよう」と、明瞭に暴力を呼びかけている以上、建国後一七年間も共産党の教育を受けてきた大衆が熱烈に呼応したのも、容易に理解できます。

この講話によって、内モンゴルのモンゴル人たちの運命は決定づけられました。文化大革命時代には警察や裁判所、それに検察などの法治機関はすべて「旧社会の産物」として否定され、代わりに共産党の首長の講和が唯一の法的根拠となっていたからです。滕海清の部下たちも、一様に殺戮を煽り立てました。

人民解放軍シリーンゴル盟軍区の司令官・趙徳栄（ちょうとくえい）は一九六八年五月に次のような講話を発表しています。

「モンゴル人を徹底的にやっつけよう。モンゴル人の中に良いやつは一人もいない。モンゴル人を一〇〇パーセント内モンゴル人民革命党員に認定してもいい。彼らが死んでもびっくりすることはないし、たいしたこともない。モンゴル人は死んでいけばいい」

趙徳栄の指揮下でシリーンゴル盟では二三五二人が虐殺されたと記録されています。「モンゴル人だから殺す」という事例は、内モンゴル各地から報告されています。内モンゴル自治区地質調査隊では、隊内のモンゴル人に対して「ウラーンフーの走狗たちよ、あの世のチンギス・ハーンに会わせてやる」と言いながら拷問にかけていました。

中国共産党に「お墨付き」をもらって展開されたジェノサイドは、凄惨を極めました。内モンゴル人民革命党員と決めつけられた人は、そうであろうとなかろうと、「批判闘争大会」という人民裁判にかけられ、中国人大衆や人員解放軍の兵隊などから、一方的に暴行を受けました。それでも飽き足らない場合は、外に連れ出されてさらにリンチされたのです。

例えば、自治区政府幹部で、オルドス高原イケジョー盟出身のアムルリングイ（ハンギン旗旗長）は、地面に押さえつけられて、真っ赤に焼いた鉄棒を肛門に入れられ、鉄釘を頭に打ち込まれました。文化庁幹部だったオーノスは鞭で打たれた為、尻の肉が削げ、骨が見えていたといいます。また、あるモンゴル人は、マイナス四〇度まで下がるモンゴル高原の冬に、膝まで水を満たした「水牢」に入れられ、その足は水と共に凍ってしまいました。

旧満洲国出身で、ハルビン陸軍軍医学校を出たジューテクチという医師は、次々と病院に運ばれてくる患者たちを目の当たりにして、「私は生き地獄を見ました。失明させられた者、腕や足を切断された者、そして頭の中に釘を打ち込まれた人など、言葉で表現できない惨状でした」と語っています。

そのジューテクチ自身も、リンチの末に生殖器を破壊されるという、大きな障害を負っています。わずか七歳の子供までも、内モンゴル人民革命党員であるとして、「批判闘争大会」に引きずり出され、罵倒されて殴られたといいます。そして、そうした子供たちの中には行方不明になった者が大勢いるといいます（楊海英著『墓標なき草原―内モンゴルにおける文化大革命・虐殺の記録』岩波現代文庫）。

こうしたジェノサイドは、一九六九年五月二二日に毛沢東から中止する指令が出た後も、しばらくの間、やむことなく続けられたのです。

組織的性犯罪

ジェノサイドには大規模かつ組織的な性暴力を伴う事例が多いと指摘されますが、それは内モンゴルの大虐殺においても当てはまります。モンゴル人女性に対する性的な凌辱は、いわばモンゴル民族に対する完全な征服を意図したものです。中国人たちは、モンゴル人男性を侮辱しようとして、モンゴルの女性たちを公然と凌辱していたのです。

中国人たちはモンゴルの女性をレイプするのはもちろんのこと、やはりさまざまな方法でいたぶり続けました。ここで、いかに常軌を逸した性的虐待が行われていたかを知ってもらう為にも、若干ですが事例を示しておかなければなりません。

例えば、樊永貞（はんえいてい）という人物は以下のように報告しています。ウラーンチャブ盟チャハル右翼後旗のアブダル営という村では、中国人の李善という人物たちが、モンゴル人女性のズボンを脱がせて、粗麻縄と呼ぶ縄でその陰部をノコギリのように繰り返し引いたといいます。モンゴル人の趙桑島と趙傑らによると、ウラーンハダ公社では、女性の顔にブタの糞を塗りつけて舐めさせたほか、内モンゴル人民革命党員同士に公衆の面前で「交配」するように命じました。また、ここでも女性を縄に跨がせて「ノコギリを引いた」のです。

チャハル右翼後旗のダランタイという人物は、次のように一族が受けた蹂躙を回想しています。

「兄が殺された後、その妻も逮捕された。兄の妻の名はドルジサンで、典型的な牧畜民だった。ある晩、工人毛沢東思想宣伝隊の隊長・張輝根たちは、彼女を裸にしてから手と足を縛った。そして、刀で彼女の乳房を切り裂いてから塩を入れ、箸でかき混ぜた。鮮血は箸に沿って流れ、床一面が真っ赤に染まった。それでも宣伝隊員たちは

『お前は早く死にたかろうが、ダメだ。誰が内モンゴル人民革命党員かをちゃんと白状してもらわないと、死なせないぞ』と言った。彼女はこのように十数日間にわたって凌辱されて、ドゥベルト王旗の病院で亡くなった」

当時、ウラーンハダ人民公社で暮らしていたモンゴル人女性は次のように証言しています。

「内モンゴル人民革命党員の妻や娘たちは、ほとんど例外なく革命委員会の中国人幹部たちに繰り返しレイプされました。あの時代、半径数十キロ以内のモンゴル人女性にはまったく逃げ場がありませんでした。一九六八年夏のある晩、彼らは私たち5人の女性を丸裸にして草原に立たせました。私たちは両足を大きく広げられ、股の下に灯油のランプが置かれました。すると、無数の蚊や蛾などの虫が下半身に群がってきました。このような虐待は、その後何日も続きました。また、中国人たちはSという女性に、彼女の義父と「交配」するように命じていました。このように凌辱されていたとき、いつも大勢の中国人の幹部たちや農民たちが周りで見て、笑っていました」

ほかにも、ブタやロバとの性行為を強制する、燃えている棍棒を陰部に入れるなど、中国人たちはおよそ人とも思えない残虐な行為を行っていました。こうした性的暴行が、年寄りであろうと妊婦であろうと誰彼構わずに行われたのです。

1950年代のモンゴル人女性たち。当時の彼女たちはまだ中国人の恐ろしさを知らなかった

　また、妊娠中の女性の胎内に手を入れて、その胎児を引っ張り出すという凄惨な犯罪も行われ、中国人たちは、これを「芯を抉(えぐ)り出す」と呼んでいました。中国人の白高才と張旺清は、ワンハラというモンゴル人女性を「重要な犯人」だと決めつけ、さまざまな暴力で虐待しただけでなく、手を陰部に入れて子宮にまで達し、すでに四カ月になっていた胎児を引き出しました。彼女はこの暴挙が原因で障害者となり、一九七六年に亡くなりました（楊海英編『モンゴル人ジェノサイドに関する基礎資料5』風響社）。

　このように、文化大革命中にモンゴル人女性に対して、人民解放軍と共産党幹部たち、それに中国人農民らが犯した罪は枚挙にいとまがありません。これはモンゴルという民族がこの地球上に誕生してから、初めて経験させられた凌辱に違いありません。そして、これは決して過去の問題ではないのです。性的な犯罪を受けたモンゴル人女性は泣き寝入りを強制され、訴え出ることもできないまま今日に至っています。

女性たちが自らの被害について語ることができない中国社会は、二次的な加害行為がいまだに続いている事実を明示しています。文化大革命はモンゴル人にとって、いえ、人類にとって未解決な人道に対する犯罪です。そうである以上、私たちは国際社会および国際人道法廷に訴え続けなければなりません。

ジェノサイドを正当化する理論

なぜ、中国共産党と中国人はこれほどまでに大量虐殺と性的犯罪を好んだのでしょうか。

ジェノサイドにはそれを正当化する理論が求められ、その一つとして、「文明人」対「野蛮人」という構図が理論化されていました。また、全体主義的な中央集権国家政府内では、「民族的優秀さ」もイデオロギーと連動して、「優秀でない者」を抹消すべく殺戮行動に発展するとされます。こうした視点から内モンゴルで発生した大量虐殺を分析した場合、中国人たちの本質が見えてきます。

農耕地帯の「文明的な中国人対草原の野蛮な遊牧民」という二項対立の構図は、中国の長い歴史の中で意図的に培われてきました。マルクス・レーニン主義を標榜する中国人共産党員たちの脳裏からも、それが払拭されることはなく、モンゴル人の生活基盤である遊牧は「野蛮で立ち遅れた生業」とされて、農民化および定住化を強制されました。チベット仏教の寺院などの文化施設も、ことごとく「封建社会の残滓」として破壊されました。

文化大革命中のモンゴル人大量虐殺は、一九六〇年代における中国共産党の対少数民族政策の発露ではありますが、大モンゴル帝国の元朝期にモンゴルが漢土（チャイナ）を支配した歴史とも無関係ではないでしょう。中国共産党は「全人類の解放」と「民族の消滅」を目標に掲げながらも、常に伝統的な中国人の歴史観に基づく敵愾心と憎悪を、理論の裏付けを得てモンゴル人に向けていたのです。人民解放軍将官らの講話（スピーチ）内容にも、彼らのそうした思想が明瞭に表れています。

理論的な武装をした共産党員たちとは異なる、一般の中国人農民や労働者たちにはもっと単純に、父祖の代が経験した「野蛮人たちによる掠奪」や「満洲人による清朝時代の統治」に対する不満が、中国共産党によって再移植されたのでしょう。建国直後の「反革命分子を鎮圧する運動」（鎮反運動）に続き、「一九五七年の反右派闘争」や大規模な人民公社の公有化で疲弊しきっていた人民の生活は、一九四九年以前より悪化していました。

その意味では、大衆のエネルギーの原点には、共産党の圧政に対する不満もあったはずです。それでも一七年間にわたって貧困の原因をひたすら「階級による搾取」として教育された大衆は、共産党指導者たちの欺瞞に満ちた言説を疑わなくなっていました。その結果、その暴力的なエネルギーのはけ口は、潜在的な「敵」であるモンゴル人に向けられることになりました。

内モンゴル自治区の場合、モンゴル人の政治家ウラーンフーが推進した「政府機関のモンゴル人化」やモンゴル語を重視する政策は、中国人大衆の不満を買っていました。少数民族自治地域とはいえ、共産党の「どの民族もすべて中国の人民」であるという宣伝と、「政府機関のモンゴル人化」は、中国人大衆には矛盾しているように映っていました。そうした自治政策が、最高指導者によって「実は分裂主義者たちの罪に満ちた活動」としてイデオロギー的な断罪が下されると、大衆は簡単に立ち上がりました。

自分たちは後から来た入植者に過ぎないという「謙虚な自覚と美徳」は、中国人たちにはまったくありませんでした。そして偉大な領袖毛沢東と、人民の味方たる共産党の首長が断罪した「民族分裂主義者」たちを殺害することは、躊躇のいらない善なる「革命行為」に発展していったのです。

現在、中国共産党政府は建前上、文化大革命を否定しています。毛沢東の死後、その未亡人である江青ら、いわゆる「四人組」がスケープゴートにされて、一九八〇年一一月に裁判にかけられました。中国全土にテレビ中継された裁判の席上で、江青は「私は毛主席の犬だ。毛主席の指令で他人に咬みついたに過ぎない」と言い放ちました。しかし結局、「犬」は裁かれましたが、「犬の主人」の責任は曖昧にされたまま今日に至っていま

毛沢東を称賛する内モンゴル自治区の教科書。モンゴル人に対する洗脳は今も続いている

す。文化大革命を起こした真犯人は、毛沢東と中国共産党そのものだと、中国政府はきちんと清算をしなかったのです。

内モンゴル自治区の場合は、どうだったのでしょうか。大規模なジェノサイドを現場で指揮した滕海清将軍を指して、毛沢東は「問題をやや拡大化してしまった」と軽く触れただけです。そして、何事もなかったように滕海清は山東省済南軍区の副司令官に転出し、虐殺事件の責任はウラーンバガナという作家に転嫁させました。彼は、滕海清に「偽物の内モンゴル人民革命党員のリスト」を提供した「罪」により、懲役一五年の刑が言い渡されました。

しかも、これが数万人のモンゴル人が残忍非道な方法で殺害され、女性たちがレイプされた責任を追及した唯一の裁判なのです。資料の偽造を命じた中国共産党の中国人高官たちや、実際に両手を血に染めていた中国人殺人犯たちは、この後も法網の外で悠々自適に暮らしています。

かくして毛沢東と中国共産党政府が主導したジェノサイドは「モンゴル人同士の軋轢」に改造されました。中国共産党は最初から意図的にモンゴル人に粛清者のリストを作らせて、殺戮を「モンゴル人同士の内紛劇」とするべく、あらかじめ用意周到に計画していたのです。

モンゴル人ジェノサイドに関して、多くの有識者たちは「未解決の民族問題である」と認識しています（2）。例えば、私は以前に、第一次資料に基づいて大量殺戮を詳述した、アルタンデレヘイというモンゴル人が書いた『内モンゴルにおける抉り出し、粛清に関する災難実録』を静岡大学人文学部・アジア研究プロジェクトの成果として紹介しました。アルタンデレヘイの研究も示すように、内モンゴルで行われた文化大革命は、徹頭徹尾「民族問題」として表出し、「民族紛争」の形で繰り広げられたといえます。また、「文化大革命は一九七六年に終息した」と中国政府が公式に宣言した後も、モンゴル人に対して一貫して差別的な政策を行っており、中国の民族政策は基本的にまだ「文化大革命的な政治手法」を踏襲している、とアルタンデレヘイも指摘しています。

「文化大革命的な政治手法」とは、つまり、モンゴル人たちが少しでも自らの権利を主張すれば、たちまち「分裂独立志向」とのレッテルを貼るというやり方です。モンゴル人の有識者であるアルタンデレヘイは具体例として、一九八一年秋に内モンゴル自治区で発生した、中国人移民の増加に反対する学生運動を政府が鎮圧した事件を挙げています。この年、中国政府は四川省などから一〇〇万人もの中国人をモンゴル人の草原に移住させようと計画していました。その移民計画が自治区に伝わると、モンゴル人大学生たちは抗議活動を始めたのです。中国政府は誠心誠意に対応せずに、リーダーたちを逮捕して鎮圧しました。文化大革命と一九八一年と、二度にわたる弾圧を経て、モンゴル人たちは民族のエリート階層を失いました。その結果、今日においては、チベットやウイグルよりも「平穏」に見えているのです。モンゴル人たちが有名無実の自治区内で、わずかばかりの「自治権益」を守ろうとすることさえ、中国人はモンゴル国との関連を疑い、あるいは分離独立の動きととらえるのです。

今日においても、中国共産党は、台湾併合を善なる「祖国統一」としながら、ウイグル人やモンゴル人が同胞との統一を目指すのは悪なる「民族分裂」だと喧伝している以上、「正義の為のジェノサイド」が再び発動される危険性は、常に潜んでいるのではないでしょうか。

1　日本の中国学の権威ある研究者で、愛知大学の加々美光行教授も二〇一四年に公開された論文「三つの世代を越えて見えて来るもの：紅衛兵世代、天安門世代、ポスト天安門世代にとっての文革」の中で、「中華型ジェノサイド」の暴力性について理論的に分析しています。

2　本書はその性格上、モンゴル人ジェノサイドに関する詳しい情報をこれ以上取り上げることはできませんが、関心のある方はぜひ、楊海英著『墓標なき草原』（上・下、続ともに岩波書店）をご覧ください。また、同『ジェノサイドと文化大革命―内モンゴルの民族問題』（勉誠出版、二〇一四年）は中国政府の公文書に即して、大量虐殺の経緯を描いています。

第一章　中国という諸民族の牢獄

毛沢東と少数民族

日本が満蒙と呼んだ大地

ほとんどの日本人にとって、モンゴルといえば元朝青龍と元日馬富士、白鵬と鶴竜という現代の四横綱をはじめ、大相撲に多くの力士を輩出しているモンゴル国を想像すると思います。しかし、中国にもモンゴル人が居住する広大な地域があります。そこは内モンゴル自治区と呼ばれ、日本の約三倍の面積を有しています。

なぜ、中国にもモンゴル人がいるのでしょうか。

正確に言えば、モンゴル人が歴史的に以前から住んできた地域の一部が、中国人によって占領され、無理矢理に中国の領土に組み入れられた為に、内モンゴル自治区という存在が誕生したのです。本来なら、内モンゴル自治区という地域も、そこに住むモンゴル人たちも、すべてモンゴル国の一部でなければなりませんでした。内モンゴル自治区のモンゴル人は、国籍上は不本意ながら中国国民にならざるを得ませんが、今でもモンゴル国こそが祖国であるとの感情を持つ人が多いのです。

一六三五年、モンゴル人たちは新興勢力の満洲人を「ユーラシア草原の大ハーンの一人」として認めました。翌年、満洲人たちが奉天（ムグデン）と呼ぶ都で「大清」という王朝を建てたときに、大ゴビ沙漠の南に分布するモンゴル人たちは、その建国の儀式に参加しました。それ以来、いち早く清朝の臣民となった大ゴビ沙漠以南のモンゴル人たちの住む場所は、次第に「内モンゴル」と呼ばれるようになったのです。

ただし、「内モンゴル」とはあくまでも清朝政府側から一方的な呼称で、モンゴル人たちは「南モンゴル」と表現します。今日、中国政府や中国人たちは意図的に「内」という表現を用いて、「中華の内」や「中華に近いモンゴル」といわんとしますが、それは政治的な謀略であります。モンゴル人や良識ある日本人は「南モンゴル」との表現を好みます。

清朝時代、満洲人の同盟者だったモンゴル人たちには、准支配者の地位が与えられ、彼らの故郷である草原も手厚く保護されていました。乾燥地草原の植生は極端に貧弱で、農耕には適していないのを知っていたからです。その為、同じ清朝の民でも中国人農民たちが草原地帯に入ることは固く禁じられていました。しかし、西欧列強に敗れて莫大な賠償金を支払わなければならなくなった清朝政府は、ついに中国人農民たちが北へ流入することを許しました。ここから、遊牧を続ける為に草原を守りたいモンゴル人と、畑を開拓したい中国人との衝突は避けられなくなってくるのです。

一九一一年に、「中華の恢復」を掲げる孫文ら中国人が辛亥革命を起こして清朝が崩壊すると、駆逐される対象となったモンゴル人たちは民族自決の道を選択し、モンゴル高原の住民たちは独立を宣言しました。南モンゴルのモンゴル人たちも、これに

モンゴル国の草原に立つ記念碑。さまざまな遊牧民の部族の印璽が刻まれている。中国とはまったく違う文明が栄えたところ

積極的に呼応しようとしましたが、すでに内モンゴル内では中国人軍閥が確固たる基盤を築いていて、モンゴル人たちの独立を武力で抑え込んだのです。

その後、一九一七年にロシア革命が起きると、モンゴル高原でも遊牧民の革命運動が起

きました。草原の革命は内モンゴルの知識人を鼓舞しました。コミンテルンとモンゴル人民共和国の支援で「内モンゴル人民革命党」が一九二五年一〇月に結成されると、再び独立の機運が高まったのです。ところが、今度は日本の満洲国の建国によって、またもや独立は阻まれます。

日本とモンゴルとの出会いは文永・弘安の役、いわゆる「元寇」ですが、その後長らくの間、特筆すべき接点はありませんでした。日露戦争において日本が満洲でロシア軍と戦ったときに、再度密接な関わりを持つようになります。バボージャブを始めとする南モンゴルのモンゴル人たちが、「馬隊」と呼ばれる先導隊を組織して日本軍に協力したのです。

彼らが現地の地形や情勢を日本軍に伝えたこともあり、日本軍は有利に作戦を進めることができました。秋山好古が率いた日本軍騎兵部隊、あるいは有名な「永沼挺身隊」の活躍の裏にも、バボージャブらモンゴル「馬隊」の働きがありました。

後に満洲国ができる場所は、モンゴル人が暮らす地域（南モンゴル東部）も含んでいたので、日本では満蒙とも呼ばれました。当時の満蒙では、北からは南下政策を進めるロシア帝国が勢力を伸張し、南からは万里の長城を超えて続々と中国人が流入して、南北から挟まれる形でモンゴル人の権益が脅かされていました。モンゴル独立運動家のバボージャブらは、日本の軍事力を利用してロシアと中国を追い出そうと考えた（楊海英著『日本陸軍とモンゴル』中公新書）。

その後、日本が清朝の廃帝を担ぎ出して一九三二年に満洲国を作った為に独立は諦めざるをえませんでした。ただ、ダワーオソル（富連科）という北京大学の学生は一九三〇年に「奴隷は奴隷主を選ぶべし」という名文を書いたように、モンゴル人たちは中国人が支配する中華民国よりも近代化の進んだ日本を「よりマシな奴隷主」として選択します。ダワーオソル自身もその後、一二年間満洲国に仕えたほか、内モンゴル人民革命党を構成する知識人たちも、次々と満洲国の官僚や軍人となっていきました。もちろん、満洲国は傀儡国家に過ぎませんが、モンゴル人にとってはそれなりに満足できる存在だったのです。草原を保護し、中国人の侵入を阻止していたからです。

一九四五年夏、終戦を迎えて日本による南モンゴル統治が終わった後、ソ連・モンゴル人民共和国連合軍を迎えたモンゴル人は、これでやっと民族の統一が実現できると信じていたのですが、大国同士で結んだ秘密の「ヤルタ協定」により、中国による占領が認められてしまいました。「ヤルタ協定」が交わされたヤルタ会談にモンゴル人はひとりも参加していませんでした。

これは、当事者のモンゴル人の意志を無視した決定であることから、内モンゴル自治区にはずっと同胞の国との統一を目指す民族運動が存続してきました。モンゴル人は「ヤルタ協定」の合法性を認めていません。ちなみに、日本の北方四島をソ連に引き渡す決定がなされたのも、このヤルタでの密談によります。当然、日本人もヤルタ会談には参加していませんでした。

このことが、文化大革命中の大虐殺の遠因となるわけですが、不幸なことに、かつてモンゴルが中国から独立しようとしたことに加えて、日本と手を結んだことが、さらなる強い憎悪を生んだのでした。このように中国の少数民族問題、特にモンゴルの場合は、そのまま日本近現代史の裏返しと言い換えることもできるのです。

モンゴルに伝わった日本の近代的学知

アメリカ人歴史学者のオーウェン・ラティモアが「日本とモンゴルの民族主義者は相思相愛だった」、と名著『満洲に於ける蒙古民族』の中で指摘しています。ラティモアに言わせると、日本は満蒙地域にしっかりとした足場を作ってロシア（ソ連）の南進を食い止めたい、モンゴルもロシアと中国の浸食を排除したいという利害が一致していたということです。満洲国は日本とモンゴル人、満洲人の合作と言っても過言ではありません。

近代国家の運営は日本のほうが経験豊富だったので日本人主導で進められ、実質的な植民地であったことは否定できません。植民地の運営にあたって、日本人とその他の民族の間に確執がなかったわけではありませんが、「五族協和」を理念に建国された満洲国時代は、民族問題は深刻な形では表れていません。少なくともモンゴル人にとっては、現在の中国による過酷な支配に比較して相対的に不満は少なかったといえます。

なぜ満洲国のモンゴル人がある程度の満足を得られたのか。それは、一つにはモンゴル人の伝統的な遊牧生活が維持できたことでしょう。日本は専門の研究者による現地調査で、少数民族の文化や社会を詳細に調査して、モンゴル人の生活様式を尊重するという方針を決めました。同時にモンゴル人が遊牧生活を送る草原には、中国人が入植しないよう法制化して、住み分けを徹底させました。すでに入植していた中国人農民が、モンゴル人とトラブルを起こす事例が多かったからです。

モンゴルの草原は土地が痩せているので、中国人が開墾すると環境もさらに悪化して沙漠になってしまう。先住民のモンゴル人は経験的に知っていたのですが、日本人は科学的な調査を行ってそれを検証しました。モンゴルの伝統的な経験則と、日本の学術的な見解が一致したわけです。

さらに、モンゴル人居住地域はモンゴル人が自治を行うことを認めました。宗教も従来通りチベット仏教を信仰することができたので、モンゴル人民共和国を逃れて満洲国に亡命してくるモンゴル人も大勢いました。社会主義国家のモンゴル人民共和国では、チベット仏教の僧侶が殺害されるなど宗教弾圧がスターリンの指示で一九三八年から行われていたからです。

また、モンゴル人が自治を認められた満洲国北西部の興安省（興安四省）では、モンゴル人によって編成された興安軍がありました。独自の軍隊を持っていれば、自分たちの権益を守ることができます。これらの政策が導入されたことで、満洲国の興安地域は准国家体制を整えていたのです。つまり、モンゴル人の民族自決への欲求が、ある程度満たされていたわけです。

日本は教育にも投資して、近代的な知識をモンゴル人に体系的に伝授しました。満洲国の興安総省だけでも、一九四一年の時点で三三五の学校があり、二万三五七九人の生徒が登録されていました。日本に比べて同時期の中華民国政府は、内モンゴルでたった一つ、国立イケジョー盟中学（私の母校でもあります）を設置しただけでした。

人口わずか五〇万人のマイノリティに対するものとして、興安総省における日本式近

満洲国の興安街に設置された興安女子国民高等学校の生徒たちが1940年に撮った一枚。出典：『興安女高』

代教育の恩恵は、ほかに類例をみないほどでした。

モンゴル人たちは、さらに満洲国内の興安陸軍軍官学校や満洲建国大学、南満洲医科大学、それに日本内地にも留学して近代的な知識を吸収していきました。後に中華人民共和国が成立してから、中高級幹部たちの学歴は内モンゴル自治区が全国トップだった事実は、無学なゴロツキやルンペンが多かった中国人共産主義者たちに、強烈な衝撃を与えました。

このように、大日本帝国時代の植民地経営は、民族問題への対処において、現在の中国とは明らかに異なり、少なくとも満洲国内においては一定の成功は収めていました。こうした政策が可能だったのは、満洲国が一種独特のアバンギャルド国家だったからだと思います。思想的には極右もいれば極左もいた。人材も多士済々で、甘粕正彦もいれば石原莞爾もいるし、大本教の出口王仁三郎もいました。

民族も五族のほかにソ連から逃げて来た白系ロシア人とユダヤ人、それにクリミア・タタール人、ポーランド人が暮らすコスモポリタン国家です。多人種多民族によって成り立つ国家ゆえに、多様性に富んだ寛容な場所でした。宗主国である日本人自身、多様な人物がいたことからもわかるように、自然と多様な価値観が許容される体制になっていったのです。

満洲国は一九三四年から満洲帝国になりますが、一般的に帝国というのは総じて異民族に対して寛容です。例えば、三〇〇年にわたってシナをも統治した清朝、すなわち大清帝国はモンゴル、チベット、東トルキスタンを自国の版図に組み入れましたが、その統治は地元のモンゴル人やチベット人、ウイグル人に委ねられ、中央政府は直接関知しませんでした。

しばしば今の中国は「中華帝国」と評されますが、少数民族に対する抑圧、同化を推し進めている点で「帝国」とは言い難いと思います。また、中国共産党はわれわれ異民族に対してだけでなく、漢民族（チャイニーズ）に対しても不寛容です。異なる意見を持つ者は徹底して弾圧するし、簡単に命を奪う圧政です。

中国政府は認めませんが、満洲国では中国人（漢族）も満足していました。当時の中国と比べて国民の生活レベルも高く、日本が稲作を導入したおかげで農民も米を口にすることができました。中国東北部は今では中国の米どころになっていますが、これも満洲国時代の遺産の一つと言えるでしょう。これについては、一つ有名なエピソードがあります。

日本の敗戦後、一九四五年秋に林彪元帥が率いる共産党八路軍が満洲に進駐しましたが、彼らは中国人農民がコメを食べているのを見て大変驚いたといいます。共産党の割拠地の延安から来た共産党軍は、将校以外はトウモロコシが主食で米を見たこともなかった。兵隊が農民に、置いてあるトウモロコシを食べないのか尋ねると、「それは家畜のエサだ」と言われたそうです。しかし数年後、中華人民共和国の一部となった満洲では「家畜のエサ」すら満足に食べられないほど、人々の生活レベルは落ちていくことになるのです。

中国共産党による植民地化の始まり

中国共産党の唱える区域自治という制度は、とても少数民族にとって受け入れられるものではありませんでした。それどころが、満洲国の民族政策とはことごとく真逆のことを行っています。まず、モンゴル人の軍隊を解散させたほか、中国政府が「砂を混ぜる」と呼ぶ、大々的に中国人を移民させる政策を採っています。中国人の入植者を入れて人口を逆転させ、モンゴル人のあらゆる権利を奪ってゆく。モンゴル人の自治区でありながら、モンゴル人は絶対的少数派に転落させられてしまいました。これはその後チベットでも新疆でも同様に行われています。

また、モンゴルの伝統である遊牧を立ち遅れた生業と見做し、モンゴル人を定住化させて農業に転換すること強要しました。マルクス主義の発展段階論によって、牧畜を経営するモンゴル人は農業を営む中国人より遅れていると決め付けたのです。発展段階論とは、人類は原始乱婚制の状態から逐次原始社会、奴隷社会、封建社会を経て資本主義社会に突入し、最終的には共産主義社会になっていくという空想の仮説です。

マルクスは西ヨーロッパ社会で少し実地調査をしただけで、盟友のエンゲルスはアメリカの人類学者の仮説を丸写しして、この空論を作りました。人類が一様にそのような過程をたどることはありえない、とその後世界各地で調査した人類学者たちによって立証されています。

また、中国人たちがマルクスの空論を愛し続けるのは、少数民族を一様に「原始社会ないしは封建社会の段階にとどまっている」と決めつけて、自分たちを善良な解放者だとして振る舞おうとしたいからです。

中国人たちはまず、「革命」を継続すると称して「土地改革」を行い、モンゴル人から草原と家畜を奪い取りました。遊牧民は草原を「天からの賜物」とみなして、民族が共有する財産と理解していました。しかし、中国政府は多くのモンゴル人たちを搾取階級である「牧主（ぼくしゅ）」と断定して殺害し、その草原を掠奪して入植してきた中国人農民に分け与えたのです。モンゴルは元々階層が発達しておらず、いわゆる「牧主」も中国人社会の「地主」になぞらえて作られた概念に過ぎません。意図的に階層観念を作ることによって、モンゴル人社会の分断を図ったのです。

こうして遊牧民の草原を農地として配分された中国人たちは、モンゴル人の固有の領土に住みついたのです。一九四九年には内モンゴルに住むモンゴル人は約八〇万人で、中国人は約一七〇万人でした。一九五四年になると中国人は五〇〇万人にまで増え、一九六六年にはさらに一三〇〇万人にまで膨れ上がりました。その時点でモンゴル人は、わずか一四〇数万人に留まっていました。いまや、中国人は先住民のモンゴル人の一〇倍以上になっています。

入植者の増加ぶりと、先住民たるモンゴル人が自らの故郷において、絶対的少数派に転落している事実から、中国共産党が植民地化を目指していた実態をうかがい知ることができます。

私は日本が内モンゴルを植民地化したことは決してすべて肯定しませんし、日本とロシアが満洲人とモンゴル人の故郷に進出してお互いに戦ったのは、それぞれ自国の利益の為だと思っています。ただ、満洲人がその日本と協力して自国を立て直した行為が、なぜ中国人に非難されなければならないのでしょうか。満洲は満洲人の故郷であって、歴史的に中国人とは何ら関係がない独立した土地であり続けてきたのです。日本人の中にも、満洲国を大日本帝国の傀儡国家としての側面からのみとらえて、その存在意義を完全に否定する人が少なからずいます。彼らは満洲国の建国は中国から領土を奪った侵略行為であり、中国に謝罪しなければならないと言います。だとするならば、日本に未来を賭けて協力したわれわれモンゴル人や満洲人の立場はどうなるのでしょうか。われわれはセカンドベストとして主体的に選択したのであり、ある意味では、われわれモンゴル人、満洲人をも侮辱していると受け取れるのです。これは断じて認めるわけにはいきません。そのような態度は中国共産党に媚びを売って、少数派の満洲人とモンゴル人を無視していることになります。それこそが、反省しない植民地支配の思想ではありませんか。謝罪は美徳でしょうが、謝罪すべき相手をみない限りでは意味もありません。

過去最悪な中国とウイグルの関係

ここ数年、中国の民族問題で最もスポットを浴びているのは、新疆ウイグル自治区でしょう。新疆の本来の名称は東トルキスタンです。新疆とは、「新しい疆域」を意味しており、この地域が清朝に編入された歴史が浅い事実を物語っています。

専門家たちは、以前から「新疆は早晩、中国のパレスチナになる」と指摘して、中国政府による統治方法の改善を促してきました。しかし、逆に近年、中国政府による少数民族抑圧はますます強化の一途を辿っています。ウイグル人を一〇〇万人単位で強制収容所に閉じこめている中国と諸民族の関係は少なくとも過去百年でも最悪といえます。これは、ナチス政権と匹敵するほどの人道に対する犯罪だねと世界中から非難されています。

二〇一三年一〇月二八日、一台の車が北京市内にある天安門広場に突入し、中国建国の父である毛沢東の肖像画前で炎上した事件をご記憶の方も多いと思います。一般市民や外国人観光客も巻き込まれ、日本人一人を含む四二人が死傷しました。その後、車にいたのはウイグル人の夫婦とその母親だったことが判明しました。さらに一一月

新疆ウイグル自治区のカシュガル市に健在の毛沢東像。中国による支配と侵略のシンボルとなっている

一七日、自治区の最西端に位置するカシュガルで、ウイグル人のグループに派出所が襲われ、警察官を含む一一人が死亡する事件が起きました。

これらの重大事件が、共産党の重要会議である第十八期中央委員会第三回総会（三中総会）の開催期間に前後する形で続けて発生したことから、組織的なテロ活動とみなす向きもあるようですが、私はそうは考えません。少数民族への監視が厳しく行われている中国で、大がかりな反政府組織を作ることは困難です。

いずれの事件も散発的な、個人的な意思に基づくものとみるべきでしょう。そこが、米国の九・一一テロとは大きく違う点です。逆に言えば、プロのテロリスト集団ではなく、ごく普通の人々がこのような事件を起こさなければならないほど、ウイグル人は追い詰められているということなのです。

二〇一四年になってからも、五月に新疆ウイグル自治区の首府ウルムチで一三〇人以上が死傷する爆発事件が発生したほか、現在、ウイグル人が暴動を起こしたり、官庁を襲ったりする事件が、新疆では当たり前のように起きています。その様子を見ていると、重火器を装備した中国の武装警官や軍人に対して、ウイグルの人々が手にするのは、こん棒や斧などの原始的な武器だけ、というケースが目立ちます。私自身、ウイグルを調査した際、西部のアクス市近郊で、武装警察がウイグル人の村を包囲しているのを目撃しました。

特に私が衝撃を受けているのは、北京の天安門で事件を起こした家族が、新疆ウイグル自治区でも東部の都市、トルファンの出身者だったことでした。トルファンはウイグルの中では親中国的とされている地域です。万里の長城を越えたらすぐの、ウイグルと中国本土の出入口にあたります。昔から往来が多い分、中国人も多く、ウイグル人と中国人が共存してきた期間も長いのです。そのように宥和が進んだ地域ですら不満が爆発するようでは、もはやウイグルは、地域を問わず、どこで何が起こってもおかしくない状況にあると考えられます。

「暴徒予備軍」の扱いを受けるウイグル人

私は二〇一三年三月に新疆ウイグル自治区を訪れ、その実態を調査してきました。そこで目にしたのは、自治区とは名ばかりで、中国政府からあたかも「暴徒予備軍」のような差別的な扱いを受けるウイグルの人たちの姿です。私は以前、一九九一年から一九九三年まで調査目的で新疆に長期滞在したことがあり、二〇年ぶりの再訪ということになります。今回は、首府ウルムチ市から最西端のカシュガル市までを往復したのですが、その途上、街で目にするものすべてが激しく変貌していたことに驚かされました。

私が滞在していた一九九〇年代に比べると、たしかに高層建築が増え、大きく「発展」したかのように見えます。しかし、洗練されたマンションに住み、豪華な政府庁舎に勤めているのは、ほとんどが中国人なのです。ウイグルの知人は「ウイグル人は商売しようと申請しても許可は降りない。中国人は書類がなくても自由に何でもできる」と嘆いていましたが、私がウイグル滞在で見たものも、その言葉どおりの状況でした。あらゆる点で、先住民であるはずのウイグル人に対する差別的待遇に直面させられたのです。

まず、私が宿泊した都市部のホテルには、すべての施設の玄関に金属探知機が設置されていました。何の為のセキュリティーかといえば、ウイグル人をチェックする為です。中国人と、私のような外国人は自由に出入りできるのに、同行したウイグル人の知人は、厳重なチェックを受けなければなりませんでした。

さらに高速道路に乗って移動すると、数十キロごとに検問所が設けられています。自動小銃を構えた人民解放軍の兵士が監視の目を光らせている中、人々は戦々恐々として通過します。ここでも、中国人と外国人は身分証をちらっと見せるだけで通してもらえるのですが、ウイグル人は別扱いで長蛇の列を作らされる。身分証明書を特製の機械に読みこませて、危険人物でないかどうかが調べられるのです。長い髭を蓄えた男がいれば、「イスラームの過激派」と疑われ、その場で拘束されることもあるといいます。

信教の自由への抑圧も、苛烈さを増していました。イスラーム教徒であるウイグル人は一日五回の礼拝を欠かしません。しかし、このときの訪問で見る限り、ホテルやレストランでは、至る所に「礼拝禁止」の紙が張り出されていました。二〇一四年七月には、当局がラマダンの断食を規制するなど、ますますエスカレートしています。

中国では建前上、憲法によって宗教の自由が保障されているはずなのに、ウイグル人

ウイグル人の玄関先に貼りだされた監視用のポスター。所管の警察官の写真も写っている。同じ地域に住む中国人の玄関先にはもちろん、この種の紙はない

の信仰はこのように公然と制限されているのです。

二〇一三年春の調査で、とりわけショックを受けたのは、新疆東部の都市、クチャで目にした光景でした。クチャは古代の亀茲（きじ）国で、この地の歌と音楽は「亀茲楽」として日本でもよく知られています。しかし、往昔の華やかな亀茲国は、陰鬱な空気に包まれていました。

多くのウイグル人の玄関先には、所管の警察の写真と携帯電話の番号が書かれたポスターが貼られ、そこには「民族分裂活動をおこなう者を見つけたら、ただちに通報せよ」と書いてありました。もちろん中国人の玄関先には何の張り紙もありません。クチャの街全体が、ウイグル人に対してあからさまな差別と不信の眼差しを向けていたのです。

私は、内モンゴル自治区で、中国による軍事管理下の生活を経験しています。数十万人のモンゴル人が虐殺された文化大革命時を含む、一九六九年から一九七九年ま

での一〇年間、あちこちに銃を持った人民解放軍の兵士が立ち、街は緊迫した空気に包まれていました。それでも、内モンゴルでは、モンゴル人が身分証明書の提示を求められたり、建物に入るのに金属探知機でチェックされたりするといったようなことはありませんでした。いまのウイグル人の置かれた立場は、文革当時の内モンゴルよりも酷いのです。

中国人による「砂を混ぜる政策」の実態

もともと自分たちの土地であるはずの東トルキスタンこと新疆で、ウイグル人たちが外国人奴隷以下の扱いを受け、その一方で、中国人はますますその支配を強めています。その端的なあらわれが人口です。現在、新疆ウイグル自治区に住んでいるウイグル人の数は八〇〇万人弱です。それに対し、一九四九年時点でわずか二九万人だった中国人は、いまは八〇〇万人以上に膨れあがっており、公表されていない軍隊や武装警察の数を合わせれば、おそらく一〇〇〇万人を超えるでしょう。

これは、中国共産党が目指す「新疆の中国化」が着実に完成に向かっていることを表しています。その具体的な手段の一つが、毛沢東が「砂をまぜる」と呼んだ中国人すなわち漢民族の大規模な入植活動でした。中国人という砂をどんどん入れて、現地の砂である少数民族より多くすれば、そこは自然に漢民族の土地になるという発想です。

しかも、共産党政府は、新疆の中国化と同時に、内地の貧困層の問題を解決しようとしました。その為、自治区に送り込まれたのは、中国人の中でもどちらかといえば底辺にいる、貧しい人たちが多かったのです。無教養な彼らの粗暴な振舞い、略奪に近い進出ぶりは、地元の人々と激しく衝突し、中国人の印象を著しく悪化させる要因の一つになっています。この戦略は新疆だけでなく、チベットや内モンゴルでも同様に行われてきました。

経済面でも、新疆は中国によって収奪の対象とされてきました。中国の狙いは豊かな地下資源です。二〇一三年の訪問でも、舗装された広々とした道路を西から東へ、巨大なトラック群が地響きをたてて通り抜けていく光景に遭遇しました。タクラマカン沙漠から出る石油を中国内地へと運んでいるのです。新疆は石油のほか、天然ガスとウラン、レアアースなどが豊富に採掘される天然資源の宝庫です。

しかし、地元のウイグル人は、それらがもたらす恩恵とは全く無縁です。中国の企業は「少数民族には地下資源を開発する技術・能力がない」として、内地から中国人の労働者を連れてきます。採掘されたものは全て持ち去られる上に、ウイグル人の雇用も生まれません。

しかも、開発の過程で生まれた汚水は垂れ流され、大量の汚染物質を含んだ排煙も出し放題です。中国人には「自分たちの土地ではない」という思いがあり、現地の自然環境を破壊することに何のためらいもありません。

さらに現在、ウイグルから中国内地に流出が進んでいるのが「女性」です。トルコ系であるウイグル人、ことに西部の中央アジアに接する地域の人々は、欧米人のように金髪碧眼、高い鼻で、中国人の間でとても人気があります。ことに北京、上海、広州等の大都市では、近年、ウイグル人女性の需要が高まっています。闇マーケットで人身売買同然に斡旋されているという報告もあるほどです。

环球时报
GLOBAL TIMES

18名"东突"恐怖分子被击毙,17人被捕

中国捣毁恐怖训练营

不明气体笼罩纽约城

中国の愛国主義新聞『環球時報』が報道する「ウイグル人・テロリスト」を弾圧する風景

近年のウイグル情勢の緊迫を如実に示すのが、「生産建設兵

新疆ウイグル自治区で強制されている中国の風習。ウイグル人たちはこのようなシナ風のポスターを見ただけで気分が悪くなる

団」の変貌ぶりでしょう。生産建設兵団とは、もともとは中華民国国民政府軍の部隊だったものが共産党政権に降り、その命によってそのまま現地で農地開発を行う、いわば屯田兵のような組織でした。

　乾燥地の新疆では、水に恵まれた土地は非常に限られています。そのわずかなオアシスに、中国人からなる生産建設兵団が居座ってきました。ソ連との対立が激化した一九六〇年代には、国境の地であるウイグルでの重要な兵力として、多くの中国人が生産建設兵団として配置されましたが、私が前回調査した一九九〇年代にはほとんど武装しておらず、いわば予備役的な農業組織となっていました。

　ところが今回の調査で、ここ数年、生

産建設兵団に政府から最新鋭の武器が与えられて、武装強化に努めていることがわかりました。つまり、中国政府は、ウイグル人による暴動が頻発し、激しさを増す中、武力を使って抑え込む姿勢を明確にしているのです。新疆ウイグル自治区全体が「中国のパレスチナ」と化しつつある危険性は、ますます現実味を帯びつつあると言えるでしょう。

土地・資源・文化を根こそぎ奪っていく中国人

こうしたウイグル人の置かれている苦境と人道的危機は、程度の違いこそあれ、モンゴルやチベットなど他の少数民族にも共通したものです。この事実は、民族問題の源がウイグル民族やモンゴル民族の側にあるのではなく、支配者である中国の側にあることを雄弁に物語っています。私の故郷である内モンゴルでも、大量に入植してきた中国人は、今でもモンゴルの人々が暮らしてきた草原を破壊し、土地を奪い、天然資源を略奪し続けています。

まず、入植してきた中国人は広大な草原を目にして、口々に「何でここを開墾しないのだ？　もったいない」と言いました。モンゴルの草原は貧弱な土地で栄養が乏しく、畑に変えようものならあっという間に沙漠になってしまいます。それを経験知としてモンゴル人は知っていました。しかし、中国人はお構いなしに遊牧民を追い払い、草原を焼き払って、農地開発を進めていきました。結果は言わずもがなです。また地下資源の略奪も同様に行われました。モンゴルの地下には豊富な石炭が埋蔵されていますが、今も中国人によって次々と掘り出されています。

さらに深刻なのは、宗教信仰の問題です。モンゴル人はチベット人と同じくチベット仏教を熱心に信仰しており、かつては内モンゴルにもたくさんの美しい寺院がありました。そこにはチベットと同様に「活仏（かつぶつ）」、すなわち生まれ変わると信じられている生き仏がいました。

しかし、文化大革命で寺院は破壊されて、現在は再建された観光目的の建物がいくつか残るのみです。そもそも僧侶になること自体が、事実上許されていません。出家は許可制となっていて、しかも中国政府がそれを認めることはほとんどないからです。かろうじて活仏はひとりや二人はいますが、生まれ変わりは認められていません。今の活仏が亡くなっても、その後を継ぐ者はいないのです。

このように、モンゴル人のチベット仏教への信仰は根絶やしにされつつあります。チベットでは中央政府による強い規制を受けていますが、活仏の生まれ変わりは認められています。その意味では、内モンゴルはチベットよりも過酷な宗教的迫害を受け

モンゴル国にあるチベット仏教の寺院。草原と一体化している風景が美しい

ているといえるかもしれません。

そして、何より恐ろしいのがジェノサイドでしょう。特に民族集団全体を先導できる能力を有したエリート層が真っ先に標的となりました。前述したように、内モンゴルでは戦前、日本がこの地域と満洲をあわせて「満蒙」と呼び支配下に置いていた時期に日本的教育を受けたエリートたちの命が、文化大革命の中で数多く失われました。実に三〇万人ものモンゴル人が、満洲国時代に日本に「協力」したことを理由に虐殺されました。

ここでいう犠牲者数三〇万人という数字には、直接中国政府と中国人に殺害された者と、加害行為が原因で後日に亡くなった、いわゆる「遅れた死」の双方が含まれると

雲南省北部のチベット人女性

識者たちは唱えています。

新疆ウイグル自治区では一九五七年に毛沢東の命令で始まった「反右派闘争」の嵐の中で、数千人の知識人が粛清されました。反右派闘争とは、中国共産党を批判する知識人らに対して行われた大規模な迫害活動で、公式見解によれば中国全体で一八〇万人がその犠牲になったといわれています。また、チベットでは一九五九年三月にダライ・ラマがインドへ亡命した際に、共産党の迫害を逃れようと一〇数万人のチベット人がそれに従いました。そのほとんどは、その身の危険を察知したエリート層に属する人たちだったのです。

このように、ウイグルと内モンゴル、チベットでは、土地、天然資源から、宗教、指導者に至るまで、ほとんど同じ手法によって根こそぎ奪われてきました。ここまでみてきたように私たち少数民族は、これを「漢民族(チャイニーズ)による植民地化」と呼んでいます。センセーショナルに報じに、それは現在でもいっそう苛烈な形で進められています。

られるテロ事件や暴動の背景には、中国政府が少数民族に課してきた暴力的な支配があることを見落としてはなりません。

期待外れの習近平体制

一九八〇年代初頭、共産党政権のトップだった胡耀邦は、当時、爆発寸前だった少数民族問題を解決する為に、チベットに赴きました。そこで、チベット人が自治を奪われている状況を目の当たりにすると激怒し、中国人の共産党幹部を現地から撤退させました。共産党政権は中央政府の権威が強大であるが故に、その指導者の方針次第で大きく変わる可能性があるのです。私は一九八四年にチベットを訪れたことがありますが、そのときはチベット人による自治が一時的に回復していた時期でした。胡耀邦は新疆でも同じことを行い、続いて内モンゴルでも中国人を召喚する予定でした。ところが、そこに立ちはだかったのが、「新疆のボス」で毛沢東と同じ湖南省の出身だった王震でした。王震は、それまで胡耀邦をバックアップしていた鄧小平に「胡耀邦はとんでもない奴だ。われわれ中国人を内地に引き揚げさせようとしているぞ」と密告したのです。鄧小平は経済政策については開明的な考えをもっていましたが、こと少数民族の統治に関しては毛沢東と同様に強硬派であり、「砂を混ぜる」戦略の信奉者でした。

結局、胡耀邦は失脚させられ、チベットには中国人の党幹部が再び送り込まれて、再び中国人が主導権を握りました。そして、胡耀邦が失意のうちに亡くなった一九八九年には、チベットのラサで大規模なデモ行動が行われましたが、それを弾圧したのが前国家主席の胡錦濤でした。この「功績」を鄧小平に認められたことが、後に胡錦濤が最高指導者の地位を得る大きな足がかりとなったのです（1）。

そして、現国家主席の習近平です。意外に思うかも知れませんが、胡錦濤の後継者に習近平が選ばれた当初は、少数民族の間に期待感が生まれました。というのは、彼の父親だった習仲勲（しゅうちゅうくん）はダライ・ラマと親交があり、チベット人に対して同情的だったと伝えられています。

また、内モンゴルの指導者だったウラーンフーとも親友でした。真偽はわかりませんが、内モンゴルでは、「習近平は就任前に全国各地を回って少数民族の長老たちに挨拶し、ウラーンフーの息子とも面会した」という噂が流布していたほどです。その為、胡錦濤とは違い、少数民族の思いに配慮した政策を行うのではないか、という期待も囁かれていたのです。

しかし、現実は全く違っていました。習近平体制になって、むしろ状況はどんどん悪化しています。私は二〇一三年夏に内モンゴルで現地の人々にインタビューしようとしたのですが、「今は反右派闘争の時に似ている」「文革の再来です」と言ったきり口をつぐんでしまいました。これまでは共産党がタブーとしているような話題でも進んで話してくれたような人ですら、政治的な問題については一切語ろうとしません。少数民族の緊張感がかつてないほど高まっていることをひしひしと感じました。

「封建的な奴隷主に抑圧されているチベット人」を描いた中国のプロパガンダ塑像。このような事実は中国に占領される以前のチベットにはなかった。現在、このような作品は逆に、中国の抑圧下のチベット人だ、と理解されている

一九八〇年代初期の胡耀邦の政策がもし継続されていれば、民族問題はまた違った様相を見せていたのかもしれません。では、開明的政治家の胡耀邦はなぜ、失脚に追いこまれたのでしょうか。

一九八六年一一月八日に訪中した中曽根康弘総理は北京人民大会堂で会談し、韓国の全斗煥大統領が中国との国交樹立の意向を持っていると伝えました。また、「日朝間も同様

のことを行う用意がある」とし、北朝鮮との調整を胡氏に依頼しました。すると、胡耀邦は南北が対話を通じて連邦制を取る必要があるとの見解を語り、平壌に提案したところ、金日成の不満を買ったといわれています。胡耀邦は更に信頼する中曽根総理に翌八七年に開かれた共産党大会で「年寄りを引退させる」との機微の話を打ち明けたことも一因となり、直後に失脚に追いこまれました。

胡耀邦の自由思想と政策、彼と中曽根氏との行き過ぎた親交が、最高指導者の鄧小平ら「年寄り」の逆鱗に触れてしまったのです。中曽根総理らが帰国してまもなく、胡氏は権力を失い、一九八九年に失意のうちに死去しました。彼の死を無駄にしてはいけない、と天安門に集まった学生と市民たちは民主化を求めたが、鄧小平の命令を受けた人民解放軍に弾圧された。イギリスが二〇一七年暮れ公開した外交文書には、天安門事件の犠牲者数は一万人を超える、という駐北京外交官の電報が含まれています。

西域と新疆という言葉は領土主張の根拠にならない

中国の軍人が「南シナ海は二〇〇〇年前から中国の領土だ」と語って、国際的に失笑を買いましたが、中国人は新疆に対しても同様の主張をしています。彼ら曰く、中国は新疆を二〇〇〇年前から「西域」と呼んで管轄してきたというのです。確かに、中国では古くからその地域を「西域」と呼んできたのは事実でしょう。

しかし、その「西域」という名称自体が、古来の中国領土と主張する正当性がないことを端的に意味しています。西域というのは、単に「西方」という方位名詞であって、漠然と方角を示しているに過ぎません。極端なことを言えば、アナトリア高原のトルコあたりまで「西域」に含まれてしまうことになります。例えば貴州や雲南といったような、中国の一地方としてのこの地域に対する固有の呼称はなかったのです。

それはつまり、中国が行政組織を作って統治していたわけではない歴史的事実を表しています。これは旧満洲についても同じことが言えます。世界の人はこの地域をマンチュリア、日本人も満洲人の呼称を尊重して満洲と呼んでいましたが、中国では昔から「東北（ドンベイ）」と言っていました。これも方位名詞であって、一九世紀末まで中国にとってはやはり自国ではなかったのです。

古代の「西域」にあった三六ヵ国について、『漢書』や『史記』といった正史では「外国列伝」として分類しています。それは、二〇〇〇年前のシナ人は、西域を自分たち以外の外国として認識していたということです。その後も明朝の時代まで、東トルキ

新疆ウイグル自治区を西域と呼ぶ中国のプロパガンダポスター。史実を無視した政治的な謀略

スタン、加えて言えばモンゴルとチベットもシナにとっては外国であり続けました。今の中国政府は、歴世のご先祖が編纂した由緒ある歴史書を否定しているわけです。

彼らは管轄していた証として軍隊を駐留させていたと言いますが、それは西域諸国が求めたものではなく、いわば外国に対する侵略軍に過ぎません。当然ですが、外交使節を送っていたからといって、シナの領土になるわけでもありません。

漢の時代、『シルクロード』というテレビ番組などで日本でも知られるようになった「楼蘭」という国がありました。楼蘭は同時に東の漢や北のモンゴル高原の匈奴など外国の使者を受け入れていましたが、匈奴と敵対していた漢は、楼蘭と匈奴が接近するのを警戒して、自分の国の使者に匈奴の使者を殺させてしまう。テロ行為をもって楼蘭を屈服させたとしていますが、その後も匈奴は楼蘭に使者を送っていたわけで、テロをもって自国領とする論理が成立するはずがないでしょう。

あるいは、後世のモンゴル帝国時代に元朝の支配が及んでいたことも、新疆を領有する根拠の一つに挙げています。あえて言うならば、シナの王朝として新疆を支配していたとすれば元の時代ということになりますが、元朝はあくまでモンゴル帝国の一部であって、単純にシナの一王朝としてとらえることには疑問が残ります。

さらに厳密に言えば、パミール高原のイリ渓谷からハミにかけての地域はチンギス・ハーンの次男・チャガタイに与えられた領土です。元朝を建てたフビライはチンギス・ハーンの四男の系統ですから、フビライの支配はあまり今日の新疆には及んでいなかったと考えられる。諸説はありますが、実は元朝が支配したと言えるかどうかも怪しいのです。

そもそも、この地が「新疆」という名前になったのは、時代をずっと下って一七五七年、清朝の乾隆帝の時代です。乾隆帝は当時この地を治めていたジュンガルハン国を征服して、「新しい領土」という意味の新疆という地名を一七五九年に名付けました。これにしても満洲人が建国した「大清帝国」にとっての新領地であって、

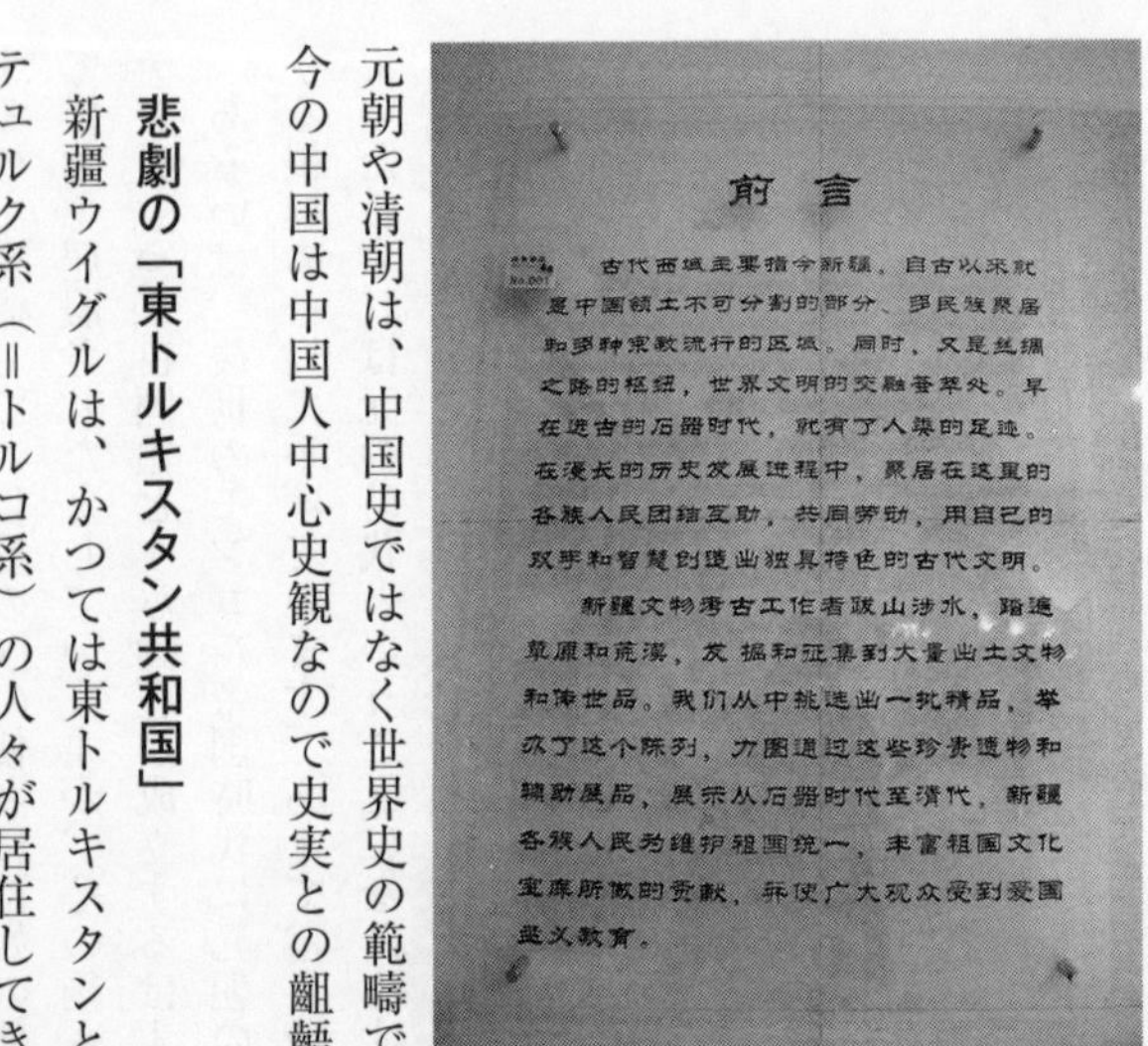

新疆ウイグル自治区博物館内の看板。古くから統一された多民族国家だと宣伝しているが、事実はむしろ逆

シナ人が中華帝国の領土として獲得したわけではありません。この事実は、中華を標榜する中国が自国領とする正統性が薄いことを示しています。

以上のように、中国が挙げる歴史的経緯というものは、どれをとっても整合性がまるでありません。それも当然で、中国人以外の民族が建国した元朝や清朝は、中国史ではなく世界史の範疇で理解しなければなりません。ところが、今の中国は中国人中心史観なので史実との齟齬が大きくなるのです。

悲劇の「東トルキスタン共和国」

新疆ウイグルは、かつては東トルキスタンと呼ばれていました。その名が示す通りテュルク系（＝トルコ系）の人々が居住してきた地域だからです。この地に住むウイグル人は、テュルク系民族の中でも、特に強い誇りを持っています。なぜなら、自分たちが古代のウイグル人の子孫であると固く信じているからです。

古代のウイグルは「青い突厥(ギョク・テュルク)」、すなわち「青いテュルク」と呼ばれるように、純粋なテュルク系です。元朝の時代にテュルク系民族の中で最初にチンギス・ハーンに帰順しましたが、自分たちをチンギス・ハーンの末裔だとは名乗っていません。ウイグル人からすると、カザフ人やキルギス人など草原の遊牧民たちは、現在はテュルクを名乗っていても元をただせばモンゴルではないかという意識もあるのです。

ただし、専門家の学術的見解では、現在のウイグル人は厳密な意味では唐と対峙していた古代ウイグル人の直系子孫ではないという見方が一般的です。モンゴル高原にあった古代ウイグル国家が滅亡した際に、一部が今の天山(テンリー・タウ)山中に逃れ、すでに定住していたペルシャ系やその他さまざまな民族と混血してできた民族だと考えられています。ただ、ソ連の歴史学者にして古代トルコ・ウイグル語学者のマローフが一九二一年にアルマ・アタで開かれた学術会議で、東トルキスタンのオアシス国家群を形成していた人々をウイグル人と呼ぶことを提唱して、以来その呼び方が定着していきました。

いずれにしても、シベリアのヤクーツクから地中海沿いのトルコ共和国に至る広い範囲で、ユーラシアには約七億人以上のテュルク系の民族が暮らしています。このテュルク系の中で、最も早く近代に目覚めたのは、一八世紀後半にロシア帝国に征服されたクリミア・ハーン国のタタール人たちでした。国が滅亡してロシアの臣民となる屈辱を味わった彼らでしたが、反面、近代の西欧思想にいち早く触れることになったのです。

元々は遊牧民だったタタール人は、徐々にその生活様式が変わってゆき、商業民族へと変貌していました。彼らの商業活動はロシア帝国支配下の中央ユーラシアに広く展開していて、彼らの近代的な思想や価値観が、行く先々で現地のテュルク系民族に大きな影響を与えていきます。

当時、タタール人の知識階級は「われわれテュルク系民族は、ロシアと中国という二つの帝国によって支配されている。今こそ立ち上がって同胞を解放しなければならない」と唱えていましたが、それはテュルク系諸民族の悲願だったのです。一九世紀末にはタタール人の商業圏は東トルキスタンまで広がり、現地の知識人にも民族自決の意識が芽生え始めました。

しかし、二〇世紀に入ってテュルク系諸民族の民族自決という悲願は九九パーセント達成されましたが、唯一ウイグル人だけが今もって独自の民族国家を実現できていません。ロシア帝国に支配されていたテュルク系民族は独立国家か、少なくともロシア連邦内で自治共和国を形成しています。

シベリアの人口わずか数十万人のヤクート人でさえ、サハ共和国を作っているのです。そんな中で、ウイグル人だけが中国において新疆ウイグル自治区という、自治とは名ばかりで何の権限もない檻の中に閉じ込められています。

この中央ユーラシア地域の民族問題を専門にする研究者として私が指摘したいのは、「ウイグルやモンゴル、チベットなどは、中国の国内問題であって、他の国が口を出すのは内政干渉である」という中国政府の主張は、歴史的にもまったくの誤りである、ということです。いわゆる中国の少数民族問題は、自決権と自治権を奪われた植民地支配という国際問題にほかなりません。

先にも触れたように、ウイグル人は、中国の支配民族である漢民族（シナ人）とは言語も文化も全く異なるテュルク系、すなわちテュルク系の民族です。遊牧と交易を得意とし、一八世紀ごろから、清朝の統治下に置かれはしましたが、実際にはウイグル人が現地を統治し続けていました。

その後、二〇世紀に入ってから独立の機運が高まり、新疆にいた同じテュルク系のカザフ人、モンゴル人も加わって、一九三三年に「東トルキスタン・イスラーム共和国」、一九四四年に「東トルキスタン共和国」と二回にわたって独立を宣言しています。

ところが、この東トルキスタン共和国は、一九四九年に、国民党との内戦に勝利した共産党が中華人民共和国を創設した後、その中に吸収されてしまうのです。

これは、ウイグル人たちにとって想定外の事態でした。ソ連邦に加わることを検討した時期はありますし、あまり知られていませんが、モンゴル人民共和国の一部になることも選択の一つとして浮上していたのですが（実際に両国のリーダーが何度も会談している）、中国の一部になるとは誰も考えていなかったのです。しかし、当時の中国とソ連の密約によって、ウイグル人は手にしたはずの民族独立を再び奪われ、中国共産党の隷属下に置かれることになったのです。

その点は、大国同士の都合という意味において、南モンゴルを中国に譲り渡したことと本質は同じです。すでにソ連領内にはカザフ人やウズベク人などテュルク系民族が多く住んでおり、おそらくは、それ以上テュルク系民族の勢力規模を大きくしない為に、一部を中国に分割したのだと推測できます。まだ、ソ連の史料は未公開になっているものが多いのですが、今後真相は明らかになると思います。

とはいえウイグルは、歴史的にも、民族的にも、中国文化の一員というよりも、カザフ、キルギスを経てトルコ共和国にまでつづく、七億人の人口を擁する大きなテュルク民族の一員であることは明らかです。そのテュルク系民族の中で、現在、唯一、

新疆ウイグル自治区に住むウイグル人。中国とは異なる文明を彼らは築き上げてきた

ウイグル人だけが自分たちの国家をもっておらず、最低限の自治さえ奪われ、ジェノサイドの対象とされているわけです。

このウイグル人のやるせなさは、私にはよくわかります。それを実感したのは、初めてモンゴル国を訪れたときでした。ウランバートルの空港に降り立った途端、独立とはこんなにも素晴らしいことかと感じたものです。モンゴル人がモンゴル語を話し、どこに行くにも、小屋一つ作るのにも、他民族の顔色をうかがう必要がない。GDPで比べれば、場合によっては今の内モンゴルの方が豊かかも知れません。

しかし、どんなに貧乏でも、国連にモンゴル国の旗がはためき、安倍晋三首相はじめ世界各国要人も訪問してくれます。それ

モンゴル国の大統領官邸前に建つチンギス・ハーン像。独立国は空気も美味しく感じる

がいかに誇らしいことか。日本のように、長い歴史のなかで独立を失った経験がほとんどない幸福な国の人々にはわかりにくい感覚かもしれません。

少数民族の心中に、そうした独立、自決への欲求が根本にある以上、現在、中国政府が取るような経済開発と組織的暴力による抑圧といった手法では、問題が解決するはずがありません。少数民族に対する差別的な政策を撤回し、高度の自治権を認め、中国政府との友好的関係を築くこと。これ以外に解決の道はないのではないでしょうか。

日本にとっても、中国の少数民族問題はけっして対岸の火事ではありません。尖閣問題をきっかけに、中国国内で、琉球の帰属をめぐる問題が盛んに論じられるようになっているからです。二〇一三年春には、中国社会科学院の研究者が「沖縄の日本への帰属を決めた一九五一年のサンフランシスコ講和条約に中国は参加していない。だから尖閣諸島どころか、琉球の帰属も未解決だ」という論陣を張り、話題となりました。

ただし、中国がこうした主張を本格化させるなら、私は言いたい。「では、内モンゴルの中国帰属を決めたヤルタ協定に、内モンゴルの代表、モンゴル人民共和国の代表が参加しましたか」と。サンフランシスコ講和条約の取決めを中国が不当と主張するならば、同じ理由で「ヤルタ協定」も不当となるはずです。このように、中国が、尖閣諸島と連動して沖縄の領有までも主張するのであれば、ブーメランのように、モンゴルやウイグルなどの少数民族の独立問題に跳ね返ってくるのです。

ウイグルの希望

今、中国政府は「中華民族の偉大な復興」を唱え、ウイグルなどの暴動をテロ行為と決めつけて力でねじ伏せようとしています。しかし、彼らが「中華ナショナリズム」を強調すればするほど、逆に少数民族のナショナリズム、民族主義を加熱させ、いっそうの分裂を招くばかりということに気が付いたほうがいい。このような諸刃の剣のような政策を続ければ、共産党政権は必ずいつか自らの首を絞めることになるでしょう。

内モンゴルのモンゴル人は、もちろん、心情的にはモンゴル国と統一国家を創りたい気持ちはあります。しかし、他の少数民族居住地域に比べて、いち早く始まった「砂を混ぜる」政策によって中国人のほうが圧倒的に多くなっている為、もはや現時点では不可能になっています。モンゴル人の有識者も統一はしないほうがよい、と今や見ています。なぜなら、今統一すれば、内モンゴルに住んでいる中国人も抱え込むことになってしまうからです。

モンゴル人の人口はモンゴル国の三二〇万人と内モンゴルの約五八〇万人で合計約九〇〇万人に対して、内モンゴルの中国人は三〇〇〇万人以上ですから、新国家の主導権を中国人に握られるのは明らかで、せっかくモンゴル国という、現存する純粋な民族国家が元も子もなくなってしまう。残念ですが、せめて祖先が残した綺麗なままの土地が守られればというのが、有識者の見解です。

その点でいえば、ウイグルのほうが、内モンゴルより独立の現実味があるかもしれません。まず、中国人との人口比が、まだ内モンゴルほど差が開いてはいません。そして後述するように、今後、中国の民族問題において、イスラームの影響力が大きなカギとなってくると思われるからです。今、国家を持たない最大の民族であるクルド人が、イラクで独立を宣言するところまできています。一〇〇〇万人を擁するウイグル人も、努力すれば民族自決、独立国家の建立も不可能ではない時代が来るのではないでしょうか。

相容れないチベット仏教圏と中華

最後にチベットについても触れておきましょう。

チベットに関しても、唐の時代に皇帝家の娘をチベットに嫁がせたとか、モンゴル人の元朝時代にチベットの高僧に爵位を授けたことなどが、国土領有の法的な根拠に挙げられていますが、チベットの王には六人もの妃がおり、唐の娘と同時にネパールからも王女を妃に迎えています。そして、実際は唐の方がチベットの軍事力に負けていたので、女性を差し向けて平和を乞うていたのです。中国人にとっては、こうした「和親政策」は実際は屈辱的な通婚だったはずです。それが、ウイグル同様、史実が歪曲されているか、無視されて美談に改編されています。

イスラームと中華が相容れないこととまったく同じ意味で、チベット仏教圏と中華も相容れません。簡単に言えば、「宗教と共産主義との対立」ということになりますが、それとは別に中国人の宗教観にも関わっていると思います。中国人は基本的に現実主

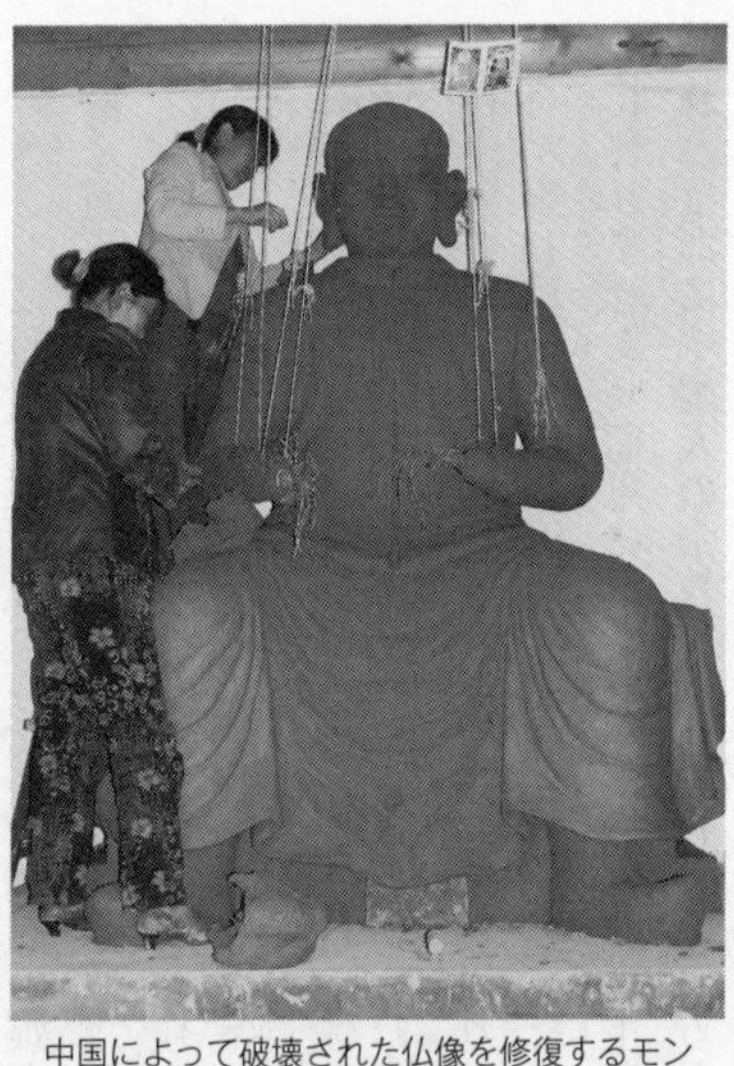
中国によって破壊された仏像を修復するモンゴル人たち。破壊と殺戮、略奪はすべて中国政府がもたらした結果だ

義者であり、現世利益を優先する。何事も利で動くというのが中国人の特徴であり、唯物論的なマルクス主義はピタリと合致する。逆に言えば、利益優先の民族だからこそ、観念的な、スピリチュアルな哲学を否定するようになった。「宗教はアヘンだ」という思想も中華の実利優先の土壌から生まれています。

一方、仏教圏では読経をして平和に暮らし、今生で善行を積んで来世に生まれ変わることに至上の価値を置いています。中国人の唯物主義と仏教的哲学思想に帰依するチベット人、あるいは自然との調和を旨とするモンゴル人との間に対立が生まれるのは必然でした。

これは文明間の対立といえるでしょう。チベット仏教圏に属するチベット人、モンゴル人、満洲人と、中華文明に属するシナ人とは相容れない関係なのです。これも今日の民族問題につながる一つの要因だと思います。

1　胡耀邦がチベットをはじめ、少数民族地域において開明的な統治政策を導入しようとしていた試みについて、チベット人革命家プンツォク・ワンギェル氏による回想がある。香港新世紀出版社から二〇一四年にでた『民族団結路漫々』と題する著作に詳しい記述と分析がある。

第二章　近隣諸国へ膨張する中華ナショナリズム

中国接连推出反制措施　日本紧急宣布更换大使

中日钓鱼岛对抗迅速升级

印度抓捕漫画家

魑魅魍魉

環球時報の反日報道

国内の不満は外国に向けさせる

一九七九年二月、中国人民解放軍はベトナムに攻め込みました。広く知られている中越戦争です。その戦争を中国は当時「ベトナムを懲罰する戦争」と呼んで宣伝していました。

当時、私は高校二年生でしたが、一学年上の先輩たちが『共和国賛歌』という大層プロパガンダ的な、戦意高揚の軍歌を歌いながら出征して行ったのを覚えています。その姿を見て、当時の私は祖国を守るということは大変刺激的なことなのだと思いましたから、やはり中国政府はナショナリズムを刺激するプロパガンダが上手かったのでしょう。

その直後から、当時はまだテレビは普及していなかったので、ニュース映画でベトナムを懲罰するという映像が大量に流されていて、中国に領土問題があるという事実をあらためて知りました。

しかし、その後に分かったことですが、この戦争は文化大革命によって高まった自国民の不満を国外へと転換する為に、あえて起こした戦争だったのです。一九六六年から一九七六年まで一〇年間にわたって続いた文化大革命は、少数民族だけではなく、中国人にも大きな不満を生じさせていました。その不満をどうガス抜きしようかと、当時の中国指導者が考えていたのです。

中越戦争が始まった一九七九年当時、中国は文化大革命による被害者の名誉回復作業を進めていましたが、限定的な名誉回復だけではなかなか不満が消えなかった。そこで、外敵に国民の目を向けさせる必要があったのです。

それまで中国にとっての主敵はソ連でした。一九六〇年代の中ソ対立以来、ソ連あるいはモンゴル人民共和国を修正主義国家と呼んで、激しく対立していました。一九六九年春にはダマンスキーという島（中国名は珍宝島）で直接、軍事衝突も発生しました。

ただ、中ソ対立が幾分和らいできたことと、なによりもソ連という強大な国を「懲罰」するわけにはいかないので、別の対象を選ぶ必要があったわけです。そしてちょうどその頃、ベトナムとの領土問題が噴出したので、渡りに船とばかりにベトナムに狙いを定めたのでした。

一九七九年二月、中国は大軍を擁してベトナムになだれ込みましたが、人民解放軍は装備が悪く士気も低かったので大損害を被ります。しかし、中国国内では「われわれが勝った」と盛んに宣伝していました。

「ベトナムを懲罰する戦い」には、中国の官制ナショナリズムの特徴が端的に表れています。社会主義中国にとって、外敵は常に必要不可欠なのです。この中越戦争以外でも、国内問題を解決できなくなると、中国は必ず外敵を作ってきました。一九六二年に発動された中印国境紛争は、一九五九年から続いた大規模な公有化政策で四〇〇〇万人近き自国民を餓死させた政府の責任から目をそらす為でし

向珍宝岛战斗英雄学习

ソ連修正主義と戦おう、と呼びかける中国のポスター。中国はかつてソ連とダマンスキー島で戦った。社会主義国同士の領土紛争だ

た。中国国歌には「中華民族はまさに今危機状態にある。立ち上がれ」といった歌詞があります。

危機的な状況といっても、決して国内的な危機だとは彼らは言いません。そんなことを言えば、共産党による一党独裁の正当性を問われるから、危機は常に外からもたらされるのです。「祖国は西側帝国主義者やソ連修正主義者に虎視眈々と狙われている」と、不信の視線で国際社会を見渡して、建国当初から必要以上に国民に危機感を煽ってきました。

そしてベトナムの次は、日本が標的になりました。一九八〇年代前半は中曽根首相と胡耀邦主席の間で、ごく短い蜜月期が築かれましたが、中曽根首相の靖国参拝問題と歴史教科書問題が起きて以降は、今日に至るまでずっと日本が国民向けの「敵」になっています。

今日のスプラトリー（南沙）諸島の問題を見ても、昔からのやり方が再び表れただけで、驚くほどのことではありません。台湾、アメリカ、ソ連、ベトナム、日本ときて、現在はフィリピンも加わりました。様々な国が中国の敵にされています。おそらく中越戦争当時は文化大革命という不満でしたが、今や中国国内に山積する問題は文化大革命以上なので、敵が多ければ多いほど都合がいい。そういう状況ではないかなと思います。

今、中国は経済バブルの問題、あるいはシャドーバンキング問題はあるし、民族問題や漢民族自身の農民問題も解決できてない。そもそも、このまま一党独裁が持つかどうかの問題もあります。中国共産党は四面楚歌の状況なのです。そこで敢えて多くの敵を作って「危機的な状況」を演出し、それを国内統治に利用しているのです。昨今の中国の急激な膨張策は南へも波及しているので、しばらく忘れられていたベトナムが、再び敵として利用できるようになったということでしょう。

中国の官制ナショナリズムを理解する為には、少し歴史を遡って考察する必要があります。私は今の中国の状況は、一八世紀のフランスや二〇世紀前半のナチス・ドイツと非常に似ていると考えています。フランスは革命という聖なる理念を実現させた直後に、「祖国は危機の中にあり」として「フランス国民」の団結をセンセーショナルに煽りました。経済的には国有化政策を実施して、周辺にあった小国、たとえばベルギーなどを一方的に併合したりもしました。

そして、異なる意見を持つ集団に対して一七八九年と一七九二年に大量虐殺をはたらき、反体制派として次から次へとギロチン台に送り込みました。その際に国民は歓呼していましたが、そうしたナショナリズムは独裁を招き、そのツケは結局、国民にも回ってきたわけです。

ナチス・ドイツの場合は、ゲルマン民族の優秀さを極端に強調し、「劣等民族」（たとえばユダヤ人など）へのホロコーストと、「劣等国家」への侵略が発動されました。中国もずっと「中華民族は世界で最も優秀な人々だ」と言い張っています。ただ、一八四〇年のアヘン戦争以降に侵略を受けて遅れただけだ」と言い張っています。民族の優劣を強調する一方で「優秀なのに遅れた」というコンプレックスとトラウマが、人々を自発的なナショナリズムに駆り立てています。

ナチス・ドイツと同じように、「民族の優秀さ」を強調する中国のナショナリズムは、国内に住む「異民族」にも向けられてきました。辛亥革命の立役者である孫文は、西欧列強の侵略に反対するとともに、「駆除韃虜（たつりょ）、恢復中華（満洲人とモンゴル人を追い出して、中華を恢復させよう）」というスローガンで中国人のナショナリズムを鼓舞しました。「華」とは中国人を指す概念であり、「韃虜」とは満洲人とモンゴル人を指す蔑称です。つまり、満洲人の清朝を倒し、中国人が世界の中心たる「中華」を取り戻すのだという、漢民族ナショナリズムです。

近代的な革命を目指したはずの孫文ですが、この古い差別用語を用いたところから、彼の主導した辛亥革命の真髄も、結局は元朝のモンゴル人を北へ追って明朝を建てた朱元璋の、素朴な排他的理念と何ら変わりはなかったことがわかります。そして、「野蛮な韃虜」を駆逐して民族革命を成功させると、今度は「優れた中国人」が建てた中華民国が、他の民族の上に君臨するようになりました。

建前上は「五族共和」を掲げていたものの、孫文の後継者である蔣介石の顧問を務めたアメリカ人歴史学者で、オーウェン・ラティモアも「中国は西欧列強の植民地だが、少数民族には植民地政策を採っている。第二の帝国主義だ」と指摘しています。

その後、中華人民共和国になると、対外的な「反西欧列強」のナショナリズムと、少数民族の植民地支配の体制自体はそのまま引き継がれますが、対内的なナショナリズムは「反異民族」から「異民族をも統合しようとする大国主義的ナショナリズム」に変容します。

満洲人、チベット人、ウイグル人、そして私のようなモンゴル人は、九四パーセントを占める中国人への同化を強制され、宗教や言葉など民族文化を守ろうとすると、「分裂主義者」として弾圧されました。その際に、血腥い殺戮をもって対応する残虐性もまた、中国人ナショナリズムの特徴です。私や愛知大学の加々美光行教授はこれを「中華型ジェノサイド」だと表現しています。

対外と対内、この二つのナショナリズムには一つの中心軸があります。それは「愛

新疆ウイグル自治区のウイグル人の少女たち。社会主義をイメージさせる赤いスカーフが強制されている

国主義」です。中国共産党は「反革命の蒋介石」を台湾島に追放しましたが、その蒋介石でさえ台湾独立を宣言しなかったので、「彼にも愛国心があった」と、昔からそれなりに評価されていました。

中国は一党独裁ですが、華僑は資本家でも「愛国者」になれます。つまり、「愛国主義というナショナリズム」は、常に共産主義思想を超越しているのです。おそらくは、そこが中国とソ連との違いであり、少数民族への態度の温度差となって表れたのではないでしょうか。要するに、中国はマルクス・レーニン主義を看板に掲げながら、実際には「愛国主義的なナショナリズム優先の社会主義」でした。言い換えれば、「中華思想を衣の下に隠した社会主義」だったのです。

大量の難民や漁船で攻めて来る中国

南シナ海スプラトリー（南沙）諸島については、すでにベトナムは排除され、中国の実効支配が続いています。ベトナムの場合、中国と陸続きでもあるので、たとえ中越戦争で中国が惨敗したとしても、ベトナムにとって中国の持つ軍事力は潜在的圧力になります。ベトナムは海陸両方で中国の圧力を受けていることで、それが中国の南沙諸島での覇権の確立にプラスに働いています。

現在の尖閣諸島の状況を見ていると、日本も他人事ではありません。中国はベトナムとの南沙諸島および西沙諸島の争いで経験を積んでいるし、おそらくその経験を生かして、今度は東シナ海に出てくると思います。

一九七九年から今日まで、中国は三〇年近いスパンの国策によってベトナムに対する侵略を進めて、領土を拡張してきました。それと同様に、これからは日本との長期戦に出てくるはずです。その長期戦の一部は南シナ海での手法と似ています。

例えば、すでに日中中間線の真上において、日本名で「樫」や「白樺」という天然ガス田に一方的油井を立て、日本政府の抗議を無視して掘削している。実質上日本側の海域に眠る天然ガスを吸い上げているのです。資源を先に取り、既成事実化するというのは、南シナ海でも使った手法です。

今のところ「日本を懲罰する」という行動に出てはいませんが、それはまだ海軍力に自信がないからでしょう。ベトナム海軍に対しては優位に立てても、日本に対してはまだ強硬手段は採れません。しかしながら、近年の中国海軍は空母まで持つようになりました。ひょっとしたら近い将来、複数の空母打撃群を編成できるようになれば、日本に対してもより強硬な態度に出ることがないとも言えません。

すでに、中国は日本に対する海上侵攻のテスト的な准軍事行動を何回か行っています。例えば、二〇一二年には台風の接近を口実にして、五島列島に一〇〇隻以上の中国漁船が押し寄せ、一時五島列島の漁港を占拠したかのようになった事例があります。五島列島の町長が窓から見ると、真っ赤な五星紅旗を掲げた船が何百隻も湾岸にいるという、日本人が恐怖に襲われるような出来事が実際に起きているのです。

尖閣諸島においても、すでに一九七八年、数百隻もの中国漁船が周辺海域に現れて領海侵犯をした事件があります。今現在の中国海軍は正面から海上自衛隊と戦う自信はありませんが、今後、非軍事的な形で人海戦術を仕掛けてくる可能性は大いにあると思います。何しろ人海戦術というのは莫大な人口を抱えた中国の得意技です。中越戦争における陸上戦闘では、ベトナムはアメリカと戦って実戦（ベトナム戦争）経験を積んでいた人たちが、対中国の戦線に配備されていた。
一方、中国軍は実際に闘ったことがない上に士気も低く、ベトナムに惨敗している
のはその為です。しかし、雲霞のごとく中国兵がやってくるので、ベトナムがいくら
頑張っても、最終的にはハノイの近くまで押し込まれてしまった。戦争というケース
ではなくとも、人海戦術を日本に対して用いてくる可能性はあると思います。
中国がチベットやウイグル人の東トルキスタン、南モンゴルを侵略していった経緯
も、やはり人海戦術でした。まず最初に避難民がやってくるのです。一番早くやって
きたのはモンゴルで、一九世紀ごろから、万里の長城の南で食べていけなくなった貧
しい中国人たちが、たとえば天秤棒の前後に子どもを一人ずつ乗せたような姿で、悲
惨な顔をして満洲や内モンゴルにやってくるのです。
モンゴル人は最初、彼らに同情していました。食べ物を与えて、モンゴル人の暮ら
す土地に住むことも許した。ところが、それが後からあとから無数にやってくるわけ
です。だんだんとその数は増えてゆき、やがて彼らは中国人村落（チャイナタウン）を作るようになる。
そして、ある日気がつくと、その村落の人口のほうがモンゴル人より何倍も多いとい
う現実に気づくわけです。すると、それまで同情していた相手が、「もっと大きい草
原をよこせ」とか、「この辺を開墾させせろ」と要求するようになってくる。こうなっ

ては人口の面でも太刀打ちできません。

そして、その後にやってきたのが中国人軍閥でした。軍閥は「中国人の避難民を守る為に来ました」と言って、モンゴル人に対して強権を振るうようになる。あるいは、勢いを得た避難民自体武装化して、先住民のモンゴル人に危害を加えることもありました。そうした状況は新疆やチベットも変わりませんでした。

もし、五島列島や奄美諸島などに中国人の漁民が頻繁に来るようになり、その後に「難破した同胞を助けに来ました」と中国海軍の軍艦が表れたら、それはまさに一九世紀以降に満洲、モンゴル、東トルキスタン（新疆）へと、彼らが領土拡張してきた方法と同じです。

人のいい日本人たちは、五島列島に中国漁船が「避難」してきたとき、彼らの食事を心配して熱心に弁当を準備したそうです。しかし、彼らが弁当を用意している隙に、軍艦がやって来る可能性がないとは言えないのです。中国および中国人は、そういう国であり民族であるという性質を、日本人はもっと認識しなければなりません。

前兆は現れつつあります。二〇一四年は日清戦争勃発一二〇周年にあたります。日清戦争も、当時は最新鋭の軍艦を擁していた清国が何回も日本に威圧的な態度を取り、そして朝鮮半島でも日本の影響力を排除しようとしたことが原因でした。東シナ海で自衛隊の艦船に体当たりし、空母を遊弋させるなど、東アジア諸国から日本の製品を締め出そうとする今の中国の政治的な目論見は、一二〇年前と変わりません。日本は先の戦争を経験して大きく変化しましたが、隣人の本質が少しも変わらないところに、国家存亡の悲劇が潜んでいます。

中国人留学生の恐るべき役割

もちろん、日本の場合は中国からの難民を受け入れていないので、いきなりモンゴルのようになることはないかもしれません。しかし、中国人の浸透が別の形で進行している危険性も考えておく必要があります。中国では二〇一〇年に「国防動員法」という法律が施行されました。この法律では、政府の命令があれば外国にいる中国人も政府の意に沿って動くことになっています。中国から来る中国人留学生の皆が皆スパイとは言わないまでも、いざという場合に非常に恐ろしい存在になると知っておいたほうがいいでしょう。

すでに、その予兆となる事象も起こっています。二〇〇八年に北京オリンピックの聖火リレーが日本にやってきたとき、チベット人とその支援者が、チベットにおける中国の弾圧の実情を訴えようとしました。その際、中国人留学生あるいは在日中国人が集団で長野県の善光寺まで行き、数の力で封じ込めました。善光寺の僧侶を始め日本の仏教団体も、同じ仏教徒が弾圧されていることに意思表示をしようとしましたが、数の上で中国人に完全に圧倒されてしまいました。当時のメディアの映像や写真を見ればわかりますが、善光寺の前は打ち振られる中国国旗によって真っ赤に染められ、一部では暴力行為もありました。

中国人留学生たちや在日中国人の政治的行動の裏にあるものは、一部の人々には前から分かっていましたが、メディアでも後に明らかにされました。やはり在日中国大使館が複数の在日中国人団体、留学生団体に指令を出して、バスまでチャーターして組織的に動かしていたのです。

中国人留学生には各県ごとに学生委員会が組織されていて、最初は国費留学生たちによって構成されていましたが、最近は私費留学生も数多く参加しています。ほとんどの組織は共産党員の学生がまとめ役をしていて、大使館とつながるホットラインまでできているのです。彼らの任務はいくつかありますが、その一つは「反動教授」の選定です。もし「反動教授」が講義で「反中国」的な言論をしたら、しっかり抗議しなさいと命じられている。

数年前、私が勤める静岡県内の静岡県立大学でも、某教授が「現代史のなかの南京事件や侵略という表現は、一方的な見方ではないか」と学術的な意見を述べたところ、すぐさま「反動教授」と認定されて、中国人留学生たちが集団で学校に抗議するなどした騒ぎがありました。

新疆ウイグル自治区にある宗教弾圧を示す政府の看板

もう一つの役割は、少数民族の分離活動を封じ込むということです。これも身近な事例ですが、同じ静岡県立大学にウイグル人の女子学生がいて、日頃から「なんでウイグル人はテロばかりやるんだ」と中国人留学生たちに糾弾されていました。ウイグル人の学生が自民族のおかれている凄惨な立場を述べて反論しても「我が国古来の領土を分裂させようとしている」と一方的に吊し上げられる。中国人学生は多人数で、ウイグル人学生はたったの一人、しかも女子学生です。そうした中国人の容赦のなさ、節度のなさは、モンゴル人を大量虐殺した文革時代と何ら変わっていません。

ウイグル人女子学生が私のところへ泣きながら

相談に来たので、いろいろと励ましてあげたのですが、私が彼女に説いたのは、チベット問題が世界的に知られているのは、チベット人の知識人が多いからだということでした。日本でいえば、例えばペマ・ギャルポさんがいるし、関西の仏教系大学には大体チベット人の先生がいます。ダライ・ラマ法王が一九五九年にインドに亡命した際に、十数万人同胞たちを連れていきましたが、若い世代は欧米の大学で勉強して、欧米人の弟子を持つようにもなっているから、欧米でも草の根レベルで今日のチベットの状況を世界に知らしめることができるわけです。

モンゴルも一九八〇年代から若者たちが海外に出るようになって、日本には大学などの研究機関で教えている人もたくさんいるし、欧米も大勢いるのです。ところが、ウイグル人の知識人が海外の大学で教えているといった事例は、残念ながら聞いたことがありません。

その理由の一つは、中国がウイグル人を警戒し、抑圧していて国外に出さない為です。北京中央民族大学にイリハム・トフティ氏がいましたが、当局に逮捕されてしまったため、メッセージを発信できる人が完全にいなくなっています。ウイグル人が一方的にテロリストと中国政府によって断罪されているのは、事実を発信できるウイグル人がいないのも問題であります。

もっと発信できる力をつけるために、私はウイグル人女子学生に英語を勉強するように勧めました。彼女は私のアドバイスを受け入れ、今カナダに留学しています。そのようにして人材を育てていかないと訴える人がいないのです。何とか県立大で修士を取ってから関西地域のある大学へ博士課程に進み、今カナダに留学しています。

静岡県立大学という日本の一地方大学でも、中国人留学生たちが大使館の支援を受けて集団で結束してこれだけ政治的な問題を起こしています。ましてや留学生の人数が多い首都東京は言うまでもありません。一時期、私の友人たちが嘆いていましたが、授業で一番厄介なのが中国人留学生で、彼らが教室にいると正常な学問的な話ができないということでした。

中国の立場と異なる見解を言えば、「反動」「反中国」であると受け止める。彼らは多様な見方ができないということなのです。これは日本に限った話ではなく、最近ようやく収まりつつあるものの、中国人留学生の偏った感覚は、数年前まで世界中の大学で大きな問題となっていました。

また、日本の多くの大学などには孔子学院という中国語および中国文化の教育機関が置かれています。この孔子学院についても、危険性を指摘しておかなければなりません。中国から進出してくる組織は本当の意味での民間組織、民間人というものはありません。すべて中国政府教育部の指令を帯びているか、もしくは政府のコントロール下に置かれています。その点を、日本人はもっと知る必要があります。

孔子学院は世界各国に設置されていますが、欧米などでは中国共産党による洗脳教育が密かに進められているとして、その存在が問題視されることが少なくありません。日本大学は、例えば大隈重信のように、アジアの自由と解放、大アジア主義を実現する人材を育てる為に作った学問の府のはずですが、独裁政治を称賛する中国人に乗っ取られ、牛耳られてしまっては、近代日本が果たしてきた建設的な役割が否定されることになると思います。

日本人は人が好いので、「日中友好」を唱えていればすぐ友達になれると思ってしまいがちですが、残念ながら中国という相手はそうではない。いざという時にはもう手遅れです。非常に危ない状況だと思います。

沖縄喪失の危険性

中国人を先兵として送り込むという点では、沖縄などはかなり深刻な状況ではないでしょうか。沖縄については中国のさまざまな新聞で、「琉球問題は未解決だ」とか「琉球は中国の領土だ」、「日本に強奪された領土だ」といったプロパガンダが始まっています。

驚いたことに、沖縄大学で教える中国人教授も、中国の新聞紙上でそういった趣旨の論文を書いています。『環球時報』という新聞は日本でもよく引用されますが、この新聞に沖縄大学の劉剛教授が書いた「沖縄の帰属は未定。日本はのさばるな」という見出しの記事を目にしました。

日本の大学で給料をもらいながら、日本を裏切るような文章を書いて中国のプロパガンダ工作に加担しているのです。これは非常に恐ろしい問題だと思います。たとえそう思っていても、日本で給料をもらって生活している以上、普通の感覚なら立場をわきまえるものですが、そうは考えないところがいかにも中国の人らしい。彼は記事の中で「友好という幻想に惑わされずに日本に対処しよう」と言っていますが、その

莫再幻想友好，认真对付日本

冲绳归属未定，日本别嚣张

公布领海基点是以牙还牙的开始

中国国営の『環球時報』に掲載された沖縄国際大学の劉剛教授の反日文章。日本国民の税金からなる給料をもらいながら、反日の政治活動を展開している。彼のような人物は他にも大勢いる

言葉をそのままご本人に返したいと思いました。

こういった人たちが沖縄県民を教化し、中国シンパを作って沖縄をまず日本から分離させておいて、いずれは中国に取り込むべく政治活動しているという指摘もあります。このように、沖縄ではすでにあらゆる分野で半ば中国の工作員のような活動が公然と行われていると考えていいでしょう。

水面下の浸食は人だけではありません。御承知のように中国が日本全国で土地を人知れず買い漁っているという噂が絶えません。ダミー会社だったり日本人に名義を借りていたりすることが多いので、その実態はなかなか掴みづらいのですが、沖縄県でいえば米軍基地の近隣の土地を中国系資本がかなり買っているといわれます。

例えば冷戦時代、北海道や東京に来て自衛隊基地周辺の土地を買ったりするようなことは、冷戦時代のソ連すらやらなかった。それが今、この平和な時代に露骨に自衛隊の近くの土地を買っていくというのは、どう見てもやはり侵略であり露骨な情報作戦です。ちなみに、ある意味で中国のミニチュア版ともいえる韓国も同じようなことをしています。

韓国の場合、対馬の自衛隊基地近くの土地を韓国系資本が大量に買い漁っています。

私は実際に二〇一四年二月対馬へ確認しに行きましたが、何を建てるつもりなのか、使用目的は何なのか、地元の人に聞いても誰も知りません。フェンスを作って入れないようにしているのです。

一ヵ所だけ入れるところは、大変立派なリゾートホテルが建っていましたが、どういう人が泊まりに来ているのか、本当に単なるリゾートホテルなのかも分からないのです。対馬は日露戦争で日本海軍が要塞化していたことからもわかるように、軍事的な要所です。そうした場所の土地を韓国資本が買うということは、明らかに軍事戦略の一環でしょう。

そのほかにも、日本は水資源も狙われていて、北海道の広大な水源地が中国資本によって買われていることはすでに報道されていますが、静岡県では日本のシンボルである富士山の湧き水が狙われているという報道があります。外国資本による土地購入は、厳しく規制すべきで、日本人はあまりにも天真爛漫過ぎます。一部の識者が以前からこの問題に警鐘を鳴らしているのですが、なかなか前に進みません。

「モンゴル草原を失っても魚釣島を守ろう」

二〇一二年夏に中国各地で繰り広げられた反日デモで、「モンゴル草原を失っても魚釣島（尖閣諸島）を守ろう」「何千万人死のうと魚釣島を死守せよ」と書かれたプラカードが掲げられていたのを目にしたことがあります。

この言葉の意味するところは、いろいろな解釈ができると思いますが、一つには中国はもうモンゴルの草原は失わないものだという確信から出てくるのかもしれません。もう一つは、中国人にとって内モンゴルがいかに軽い存在であり、見下しているかの表れと見て取れます。こうした差別意識は、かなり以前から存在しています。

例えば、孫文が日本に亡命していた頃、黒龍会などの日本の大アジア主義者たちに向けて講演した際、満蒙を日本に渡す代わりに清朝打倒への支持を訴えていました。孫文からすれば、満蒙は打倒すべき満洲人の故郷であり、日本に差し出しても痛くもかゆくもない。敵の巣窟を渡して敵を打ち倒すことができるなら、まさに一石二鳥で、大いに結構ということです。その意味では、モンゴルごときは失ってもいいじゃないかという意識はあると思います。

われわれモンゴル人やウイグル人から見ると、一一〇年前の「韃虜」の時代から変わってないということです。彼らにとってわれわれは何なのか。自由にしてくれと言いたくなるわけです。「中華流ソフトパワー」は世界に通ぜず。

大国というものは中国に限らずそうした面がありますが、中国はあまりに露骨かつ節操がありません。アメリカも大国ですが、民主や人権、そして平等といったアメリカ的な価値観というものは人類の普遍的な価値として世界中で通用するから、アメリカは影響力を持てるわけです。

軍事力のみを背景にアメリカが国際的な影響力を維持しているのではなく、そのソフトパワーを少なくともアメリカが現段階では大多数が受け入れているから、アメリカが大国として振る舞うことをわれわれは認めるわけです。その点で言えば、中国のソフトパワーが皆に好まれるかといったら、そんなことはまずない。たとえ中国が軍事的、経済的にどれだけ強くなろうとも、アメリカのように世界から支持される存在にはならないと思います。

モンゴルのシリーンゴル草原を失っても、釣魚島＝尖閣諸島を守ろう、という中国の暴力的なポスター

中国も孔子学院を世界各国に作って、ソフトパワーを駆使した文化戦略に努めていますが、孔子学院が広めようとする「素晴らしい中国文化」は、確かに優れた部分もあるけれども、それは一部分に過ぎません。他民族を侵略し、掠奪と虐殺を繰

り返してきた歴史には、一切触れません。経営者のほぼすべてが、中国共産党の息のかかった人たちなのですから、孔子学院で語られることのすべてを信用するわけにはいきません。中国のソフトパワーが世界的に普遍的な価値を持つようにならない以上、中国はあくまでも「限定的帝国」に過ぎないのです。

「限定的帝国」であるという特徴は、共産主義国家としての中国に限ったことではなく、歴史的にずっとそうなのです。中国文明は歴史が長いように見えますが、そのわりには実は広がっていない。

二〇世紀まで、というよりも一九四九年までは、万里の長城から北側はテュルクやモンゴルなどの遊牧文明であり、もう少し西へ行って嘉峪関まで行くと、そこはもうイスラーム文明圏でした。嘉峪関からさらに西へ進みチベット高原に入ると、そこはインド文明なのです。つまり、中国文明が何千年も昔からあったとしても、それが万里の長城を超えてこれらの場所へ入ったのはごく最近のことなのです。共産主義と中華思想が一体化して初めて、中国文明がそれらの地域へ入ったわけです。

東に目を向けても、日本はモンゴル、ウイグル、チベットと同じように、中国文明を取捨選択して導入しました。漢字を受け入れても、一種のマーク（符号）として使っているだけで、中国語を導入したわけではないので、中国化はしませんでした。南のベトナムも、日本同様に中国文明を取捨選択して導入しているので、ベトナム以南は広がっていません。その意味では、中国文明とは非常に局地的な文明だといえるでしょう。

私たちモンゴル人、あるいはウイグル人、チベット人の立場からすれば、おそらく中国文明をそのまま導入する気にはなれなかったのだと思います。ずっと隣り合って住んできた歴史があり、シルクやお茶のようなモノは導入しましたが、中国文明そのものを導入することは、歴史的にしてこなかったわけです。それはやはり、われわれの祖先が彼らの価値観や思想は、自分たちには合わないと合理的な、賢明な判断を下してきたからです。

もし、中国文化が普遍的な価値を持っているならば、それこそ二〇〇〇年前の匈奴や突厥の時代から、両地域は一体化しているはずでしょう。しかし、そうはならなかった。中国文明の限定性は、こうした歴史が証明していると私は思います。

中国が本気で進める朝貢外交

二〇一二年頃から、中国では「沖縄は中国の属国だった」と主張する軍人や識者が増えています。ネット上には、かつて中華民国（台湾）の蔣介石総統が沖縄を占領す

中国人側に多数の犠牲者が出ても、日本人をぶっ殺そう、と呼びかける中国のポスター。料理研究家・浜井幸子撮影

るチャンスがありながら放棄したのは、「売国的行為」だと批判する声があるほか、「沖縄を〝解放〟して中華の懐に迎え入れるべきだ」との、極端な民族主義的言説もまた、中国人のナショナリズムをくすぐります。

果たして、本当に「沖縄は中国の属国」だったのでしょうか。

中国の習近平国家主席は、最高指導者の地位に就いて以来、盛んに「中華民族の偉大な復興」を掲げています。中国の歴史は、ある意味では中華周辺部の「東夷・南蛮・北狄・西戎」との接触の歴史でもあります。中華の拡大につれて、中華周辺の「野蛮人」たちはどんどん遠くへ追いやられるか、もしくは中華の流儀を受け入れて中国人となるかでした。中国人となる場合、その過程を中国語では「文化」と表現してきました。中国の大国化につれて、この伝統的な「文化化」もまた顕著に表れています。

すでに国内においては諸民族の中華化（＝同化）は完成しつつあり、現在は「領土の面での核心的な利益」の拡大につれて、周辺諸国を「文化」の圏内に組み入れようとする強権的なアプローチをする段階に入ってきた、と世界は見ています。

そして中国は今、「朝貢外交」を復活させようと本気で考えているようなのです。北京の政府系シンクタンクにいる友人に聞いた話ですが、習近平が二〇一三年の暮れに、中国外交部や社会科学院といったシンクタンクの研究者たちを集めてスピーチを行いました。

習近平以前の中国では建前上、国の大小を問わず対外交渉は対等に行うとして、国是として「平和共存の五原則」を掲げていました。ところが、習近平はその席で、もはやそうした偽善的なお題目はやめようと言ったそうです。国家は実力で外交関係を作るもので、大小を問わず平等などということはあり得ない。これからは周辺国に対して、大国らしく振舞おうと語ったといいます。そうした習近平の意向を受けて、現在、本格的に新たな外交関係の在り方を議論しているらしいのです。その一環となるのが、一種の「朝貢体制」の復活です。これはまさしく先祖返りと言えるでしょう。

内モンゴル自治区の首府フフホト市内の風景。モンゴル人に対し、「中国を愛せよ」と強制している

かつて歴代シナ王朝では周辺の小国から使節が来れば、「野蛮人が中華の徳を慕って挨拶に来た」として、宴会を開いて歓待し、お土産を持たせていました。つまり、おとなしく中国の言うことを聞く国には、外交団が来た際に相手が欲しいものを与えて十分に満足させて帰らせ、反対に言うことを聞かない国は、実力行使で懲罰しようということです。

例えば、現在ならラオスやミャンマー、パキスタンといった「格下」の国が腰を低くして擂り寄ってくれれば、気前よく経済援助、軍事援助を施します。逆に反抗する国があれば、かつての中越戦争のように「懲罰」するわけです。最近のベトナムや日本は反抗的なので、そのうち討伐しましょうと宣言したに等しいかもしれません。

確かに、沖縄（琉球王国）も含めて中国の周辺諸国の多くは、使者に特産品を持たせて中国に派遣する「朝貢」を行っていました。しかし、使節団の目的はさまざまでした。政情が不安定なシナでは一定期間ごとに王朝が交代するので、新しい王朝の政策や社会の実態を探らなければなりませんでした。

また、モンゴルやチベット、あるいは直接国境を接していない中央アジア諸国などは、中国との貿易関係を強化するという実利を得る為に朝貢していた側面が強い。貢物を献上するという意識よりも、中華からの物質的な利益を獲得しようとする狙いが明白でした。歴代のシナ王朝もそれに気づいて、朝貢の人数や回数を厳しく制限していたほどです。

その一方で、外交使節でしょうと貿易でしょうと、シナ側は相手との関係を一方的に自国中心に解釈して、「朝貢」だと決めつけて記録を続けてきました。例えば、明朝時代には長城の北側にいるモンゴル勢力が軍事的に圧倒していて、しばしば首都北京に迫りながらお茶やシルクの供出を求めましたが、こうした外圧は公文書には「朝貢」として記されています。

また、一九一二年に清朝が崩壊する直前まで、イギリスやフランスなどの西欧列強は、不条理な要求を毎日のように清朝政府に突き付けていましたが、これらの「脅し」もまた「本日、イギリス朝貢に来たり」などと記録されています。このように、いわゆる「朝貢制度」というものは、中華こそが世界の中心であると盲信する中国人たちの、自己満足の為の哀れな妄想でしかないとさえ言えるのです。

そもそも、「朝貢体制」という言葉も、日本の東洋史研究者らが中国およびアジアの国際関係を相対的に捉える為に作った、学術的な概念に過ぎません。シナの朝廷における外交使節の席の序列や、珍品の儀式的なやり取りのみに注目した為、シナがどのように周辺世界に侵略と虐殺を展開していたかなどの重要な事実を日本の東洋史学者たちは見落としている側面があります。

清朝（これは満洲人の王朝ですが）までの歴代シナ王朝は、琉球を含めて朝貢をしてくる周辺諸国の支配者の多くに王号を与えて、名誉的に中華の権威をみとめさせていました。これを「冊封」といいます。ただし、それにしても大半は名目上の宗属関係ですから、冊封と領土は無関係です。琉球王が中華の冊封を受けていたからといって、中国の領土であるとの主張は成立しません。儀礼的な「朝貢体制」は、歴史上の国際関係の実態を表してはいないので、「沖縄が中国の属国であった」との根拠にはならないのです。

沖縄および尖閣諸島の問題は、チベット問題や新疆問題、ひいては内モンゴル問題と本質的には同じだと理解しています。近代に入ってから、厳密にいえば、現代中国がごく最近になって国民国家意識が強まった段階で、領土問題として突出してきたのです。チベットにしても、モンゴル帝国時代に元朝の統治を受けていたとの根拠を無理やり掘り起こして、「歴史的にずっと中国のものだ」と主張してきました。

しかし、元朝はモンゴル帝国の一部でしかなく、決して中国史という文脈のみで解釈できる歴史ではありません。元朝時代の歴史を都合よく中国史として乱用しているに過ぎないのです。

二〇一四年の春にかけて、中国と韓国の外交当局が話し合ったときに、中国側から「そろそろ朝貢外交の席に戻ったらどうですか?」と言われ、韓国側が非常に腹を立てたという話を聞きました。しかし、現実に韓国の朴槿恵元大統領の対中政策は、かつての朝貢外交に近いように思えます。すでに韓国の対中貿易額は、日本に対するそれを大きく上回っています。その一方で、韓国経済は衰退傾向にある。彼女は、再び大国化しつつある中国に擂り寄っておけば無難だと考えている面があるのではないでしょうか。

中国も従順な韓国に対しては、十分にお土産を持たせてあげました。二〇一三年六月に訪中した朴槿恵大統領は、ハルピン駅前に日本の初代総理大臣伊藤博文を暗殺した安重根の記念碑建立を中国に求めましたが、習近平はそれ以上の形で応え、二〇一四年一月に安重根記念館を開館させました。七月に習近平が訪韓した際には、慰安婦問題などで反日共闘の姿勢を見せています。

言うまでもなく、北朝鮮はずっと以前から「朝貢外交」を続けてきました。金日成や金正日が時々中国に行っては、国家統治に必要な物資をどっさりともらってきて、「金王朝」とも称される独裁政権を維持してきたわけですが、いまや韓国もそうなりつつあるということです。ただ、陸続きの朝鮮半島は琉球以上に頻繁に中国大陸に使者を送り、貢物を献上して媚びていたことは、中国側の記録に豊富に残っています。いつしか、「朝鮮半島も中国の核心的な利益だ」などと言われないことを願ってやみません。

シナ王朝とモンゴル、朝鮮

他の朝貢国と比較すると、朝鮮半島の場合は代々のシナ王朝の「属国」であった実態がともなっていることも事実です。

『MUSA －武士－』という韓国映画（韓国・中国の合作）をご存じでしょうか。モ

モンゴル国の青年たち。馬上の彼らは独立国に生きていて、幸せである

ンゴル人の元朝が北方に追われてシナが明朝になった時代の話ですが、草原に遊びに行った明の王女が、モンゴル軍にさらわれます。そこへ朝鮮半島（高麗王朝）の武士が数人通りかかって、モンゴル軍から王女を奪って南京まで送り届けるというストーリーです。途中でやたらとモンゴル兵を斬り殺していくので、私はこの映画を観て、こんなバカげた映画があるのかと無性に腹が立ったことがあります。

私はモンゴルの歴史を世界各国がどう描いているかを比較したいと思い、韓流歴史ドラマが対中国関係をどう描くかを一時ウォッチングしていたことがあるのですが、この映画を観て非常にガッカリしました（1）。あくまで映画というフィクションなので怒るのも大人げないかもしれませんが、どこまで空想すれば気が済むのかという気持ちになりました。つまり、真実として朝鮮半島は一度としてそういう立場を演じたことはないわけです。

高麗は長らくモンゴル帝国のハーン一族、帝室の「婿殿(クリゲン)」の立場でした。代々、大都(北京)のモンゴルの帝室から娘を貰って、高麗王の皇后としていました。その子どもが新たに王になれば、再びモンゴルから妻を娶るのです。元朝はそのような方法で、朝鮮半島をコントロールしていました。一方、高麗側は常にモンゴルの歓心を得ることに心を砕いていて、二度の「蒙古襲来」も、最近の研究ではフビライの娘婿である高麗・忠烈王が、義父の前で手柄を立てたかったので、やたらと征伐を進めたことがわかっています。

ただ、実は高麗もしたたかで、例えば「高麗貢女」という仕組みがあります。朝貢の一環として、朝鮮の良家の娘たちを集めて元朝の帝室に差し出すというもので、これはモンゴルが強制したのではなく、高麗側が自ら進んで編み出したシステムです。高麗貢女は、例えば宮廷に入って皇后や王族の側で働きながら、できうればそこでエリートを見つけて結婚することが望まれていました。帝室内に高麗の身内を作って発言力を増していこうという、高麗なりの生き残る為の術だったのだと思います。儒教思想の中では女性の地位が低いので、そういう発想が生まれたのでしょう。

モンゴルも実は高麗の魂胆をわかっていて、王族は高麗貢女と結婚してはいけないというしきたりがありました。モンゴルの大ハーン一族は、代々通婚する有力な部族があるので、必ずそこから后を選んでいたのですが、元朝最後となる皇帝が高麗貢女を后としてしまいました。元朝が滅んだのはそれが理由だとモンゴル人は信じていて、モンゴル語の年代記にも、元朝が滅んだのは祖先のしきたりを破って高麗貢女をもらったからだと記されています。史実として、そうした側面もあります。その高麗貢女は、モンゴルのしきたりを無視して後宮で権力を振りかざしたので、帝室に対する王族の離反を招き、ひいては反乱が広がっていったのです。

正直なところ、モンゴル人の歴史観では、かつて朝鮮半島はモンゴル帝国の属国であり、モンゴルの血統で権威を確立していた国であるとの印象があるのは事実です。同様に、清に対しても戦争に敗れて臣下の礼をとり、属国となったことは史実として残っています（2）。

朝鮮半島の二枚舌

朝鮮半島の人々がシナとの付き合いに苦心してきたことは、彼らの国民性にも影響を及ぼしています。例えば、一七八〇年に清朝皇帝の古希祝いに参列する為に、北京と夏の避暑地である熱河を訪れた朝鮮王朝の使者が書いた『熱河《ねっが》日記』という史料があります。

使者は旅の途中で満洲人貴族と歓談した際には、「漢人は唾を吐くし下品なヤツらですよね。かれらを統治するのも大変でしょう」と持ち掛け、「朝鮮人は漢人より字を読めるし、儒教にも詳しい」と教養を自慢します。満洲人貴族は軍人なので、漢詩などにもさして興味がなく、「へー、そうなの」と聞き流すのです。その使者が今度また中国人の知識人に会うと「北狄に支配されて大変でしょう。あいつらは無教養で話し相手にもなりません」と、満洲人を見下したことを言う。一方、そんな話をされた中国人は万が一ばれたら満洲人に斬られるので、慌てて筆談の紙を屑箱に入れた、というエピソードが書かれています。

現代社会の中でも、それを感じることはあります。私は北京第二外国語大学で学びましたが、助手になった一九八七年に東北は延辺地域の朝鮮人（朝鮮族）のクラスができました。当時、遼寧省の遼河油田を開発するにあたって日本企業が大挙して東北部に進出したので、日本語通訳が大量に必要になりました。朝鮮族は旧満洲で日本語教育の伝統があった為か、当時でも高校で日本語を教えているクラスもあり、大学で二〜三年勉強すれば即戦力として使えるということだったと思います。

私は北京第二外国語大初の少数民族出身の学生でした。しばらくしてから彼ら朝鮮人やチベット人が入学してきましたが、大学に少数民族は少なかったので、彼らとはよく少数民族のことや中国人について語り合いました。そこで私が驚いたのは、朝鮮人が自分たちを中国人より優れていると思っていることでした。彼ら曰く、中国の五六民族の中で一番優秀なのは朝鮮族であり、次が中国人だという。その理由は「中国人は実は漢字もあまり読めないし、儒教も自分たちのほうが知っている」からだと自慢するのです。

私たちと酒を飲んだりしていると彼らは中国人の悪口ばかり言うので、「中国人を自分たちより低いと言える民族もいるんだな」と、ある意味感心していたら、しばらくして中国人のところでは「モンゴル人、チベット人はダメだ。やはりわれわれと中国人で仲良くしましょう」と話していると耳にしました。

朝鮮半島の人は常に他民族によって圧迫されてきた中で、生き残る為の知恵として「二枚舌」を用いてきたのだと思えば、あまり責める気にもならないのですが、チベット人やモンゴル人は、そういう振る舞いをする人はほとんどいないので、やはり違和感はあります。

その理由は、やはり「小中華主義」だからでしょう。一九九一年春に初めて韓国を旅行した際、私はまだ中国国籍で、韓国と中国はまだ国交関係がありませんでした。当時の韓国は中国をまだ中共と呼んでいて、中国も韓国を南朝鮮と呼んでいました。その為釜山で船を降りると、別室に連れていかれて三〇分ほど取り調べを受けるような時代です。

約一週間の旅の間、さまざまな場所で高校や大学の先生など、多くの知識人と交流しましたが、当時、彼らが非常に中国に憧れているのが印象深かった。私は中国内の少数民族であるがゆえに中国を相対化して研究したかったので、韓国はどう中国を見ているのかに興味がありましたが、国交がなくてもすごく憧れていたのは意外でした。逆に、日本に対しては国交を結んで長いにもかかわらず、批判的な人が非常に多かったことも覚えています。

正式な国名ではなく南朝鮮呼ばわりされる韓国が中共に憧れる姿を見て、言葉は悪いですが、歴史的に培われた朝鮮半島の「中華」に対する隷属意識というのはスゴイものだなと改めて思いました。その一方で、『熱河日記』や私の学友のように、中国人以上に自信と優越意識を持っている。このアンビバレントな感情こそが小中華主義の真髄でしょう。

ただ、韓国はセウォル号沈没事件（二〇一四年四月一六日。乗員・乗客の死者は二九九人で、行方不明者五人、それに捜索関係者も八人死去の惨事）が示すように、先進国としては未熟な部分が多い。しかも、それが時間とともに成熟するかといえば、おそらくは中国と共通した精神的、社会構造的な問題があるがゆえに、根本的に解決されるとはなかなか思えません。

政治家や官僚の腐敗など、韓国にはびこる権力主義、権威主義は、そっくりそのまま「ミニ中国」です。儒教思想では読書人が偉くて、体を動かして汗まみれになって働くことは尊ばれません。現場で一生懸命チェックして回るとか、自分の手で本当に救命ボートが一瞬にして解き放たれるかチェックするなど、いくら現場仕事を真面目にやっても評価されなければ、彼らの仕事もおざなりになってしまう。偉い人ほど手足を動かさないものだと考える、悪しき伝統が残っていることが、事故に関係しているようにも思えます。

価値観の違いでは、大変分かりやすい例があります。中国人、韓国人が日本に来てレストランや居酒屋に入った際に、ウエイトレスがひざまずく、あるいは姿勢を低くしてオーダーを受けるのでビックリするといいます。中国人にとって、ひざを曲げるというのはとんでもないことなので滅多にしません。そして「日本人はすぐひざを曲げるけど、なんで謝罪しないの？」と言います。中国と韓国では、ひざまずくこと＝謝罪なのです。

一方、日本人の感覚では、お客さんを敬う一種の働きぶりで、身体言語です。別に相手が偉いからひざまずいているわけではなく、接客業としての誇りを伴っています。日常の些細なことかもしれませんが、ひざまずくウエイトレスを見た瞬間に違和感を覚える彼らとは、相当に価値観の隔たりがあるとは思いませんか？

韓国の李明博・元大統領の竹島上陸と、それに続く上皇陛下に対する「土下座」発言、あるいは慰安婦問題などで、日韓関係はすっかり冷え込んでいます。文在寅大統領が就任してからは、さらに悪化の一途を辿っています。韓国の反日ぶりが頻繁に報道されるせいか、昨今は一般の人々の間でも「嫌韓」が広がっているとも言われます。

韓国とは良好な関係を築くに越したことはありませんが、いずれにしても対韓外交の重要度は、相対的にはウエイトは低いのではないでしょうか。国力を考えると、北朝鮮と分断状態にあるので、さほど脅威となる存在ではありません。将来統一したら、日本も真剣に考えなければならない相手ですが、当分そのような兆しもありません。日本の命運を左右するという意味においては、今は中国の動向に、より注意を払うべきではないかと私は思います。

老紅衛兵で構成される習近平体制

習近平体制が横柄で強圧的な政治的手法を国内外で行使するのは、文化大革命時代の歴史を引きずっていることも一因でしょう。彼らには、従来の中国の指導部になかった、いくつかの特徴が備わっています。

第一に、習近平をはじめ現執行部の履歴を分析してみると、ほぼ全員がかつての「老紅衛兵」であることがわかります。文化大革命時代の紅衛兵はご存知の方も多いと思いますが、やや遅れて現れた「造反派紅衛兵」と異なり、高級幹部の子弟からなるグループを指します。

一九六六年に毛沢東が「共産党内にいて、資本主義の道を歩む者」を一掃する為に文化大革命を発動した際に、高級幹部の子弟らはいち早く立ち上がりました。自宅で政府の機密文書を読む機会に恵まれ、毛沢東の意思を直に理解していたからです。

老紅衛兵たちは、一九六六年夏に「恐怖の八月行動」を起こして、中国全土の文化財を破壊し、殺人と放火を働いたことでその名を轟かせています。山東省にある孔子の墓を掘り起こしたのも彼らであり、法治を無視して秩序を破壊した過去が、彼らの青春時代の「革命の実績」です。

モンゴル人の牧畜民に殴りかかろうとする中国人の幹部。2013年夏にオルドス高原で発生した暴力事件だが、このような暴虐はほぼ毎日のように発生している

老紅衛兵が暴力を思う存分に発揮できたのは、彼らが「自来紅（ズーライホン）」すなわち「生まれながらの共産党エリート」であり、特権階級であることを自認していたからです。後に文化大革命が否定されたときに、「自来紅」の政治的身分は彼らの免罪符となり、代わりに庶民の子弟からなる造反派紅衛兵がスケープゴートにされました。そして、造反派紅衛兵は弾圧されて二度と政治の表舞台に立てませんでしたが、老紅衛兵は出世して、「太子党」を形成します。

二つ目にあげられるのは、太子党はかつて農山村に追放された苦い経験を共有しているということです。毛沢東による政敵粛清が共産党の高級幹部層に及んで、その子弟も流刑に遭いました。下放先で彼らが目にしたのは、人民の前近代的な暮らしと都市部との格差でした。また、先進国への留学経験がある彼らは、中国と世界との違いについても把握しています。その格差を是正しなければならないとの認識も、彼らの脳裏には刻まれているのです。

第三に、「自来紅」から見れば、江沢民や胡錦濤も父祖の「臣下」に過ぎず、自分たちが成長するまでの「後見人」でしかありません。太子党は自分たちを父祖の「老臣」に付属する派閥メンバーだとは思っていないのです。権力を父祖から受け継ぎ、自分たちが父祖の建てた国家の統治システムを盤石にするのは当然の責務だと自負しているので、国家主義の思想が強いのです。

第四に、彼らは「革命的中華思想」の信者であることが挙げられます。文化大革命中に中国は「世界革命の中心」を自認し、「全世界の労働人民をアメリカ帝国主義とソ連社会帝国主義の抑圧から救おう」として、積極的に諸外国に向けて「革命思想を輸出」しました（馬継森著『外交部文革紀実』二〇〇三年）。「革命の輸出」を進めた経験から、彼らは「中華民族の利益を守る為に、他国の内政に関与しよう」とも主張しています（『環球時報』二〇一三年一月四日社説）。強硬な外交を推進して「中華民族の偉大な復興」を実現させようとする手法も、古い中華思想に「革命の衣」を着せた「毛沢東の焼き直し」と見て取れます。

こうした特徴を有するのが、現在の中国の「老紅衛兵指導部」なのです。強烈なエリート意識によって簡単には動揺しない精神力を持つ彼らとの間で、尖閣諸島問題を抱える日本も、強靭な意志をもって対応することが求められているのです。

国内外で騙しが得意な中国人

現在の内モンゴル自治区は、内モンゴル自治政府として一九四七年に成立しました。つまり、中華人民共和国より二年半も先に成立しているわけです。日本の敗戦に伴う満洲国崩壊を機に、中国からの独立を目指した内モンゴルのエリートたちに対して、中国共産党は「中華民主連邦」を成立させて、その中でモンゴル人に高度な自治、ないしは民族自決を認めると言っていました。その約束をモンゴル人エリートたちは信じて、モンゴル人民共和国との統一ではなく、中国にとどまるという道を選択してしまいました。

そして中国は、モンゴル人が自治政府を作って中国にとどまったという既成事実を前面に押し立て、同様の手法でチベット人やウイグル人の独立も阻止していったのです。中国政府は、内モンゴルはモンゴル人の権利が保障されながら、中国人とも共存している模範的な自治区であり、彼らは先駆けて成功したのだから安心してくださいと、ウイグル人やチベット人に囁きました。

実際に、文化大革命が起きる一九六六年までは、モンゴル人のウラーンフーを首長とする内モンゴルは、中国政府に模範的な自治区と呼ばれていて、建前上は内モンゴルの少数民族政策を、すべて全中国の少数民族地域で用いていました。

チベット人とウイグル人、そして雲南などの南中国の少数民族を国内に引き留め、中国の領土を拡げる為にモンゴルは利用されたわけです。ところが、チベットや新疆を手に入れると、もはや用済みということでしょうか、今度はモンゴル人の大量虐殺が行われたのでした。

国内がモンゴルだとすると、国外でもっとも中国に利用されたのは日本でしょう。中国は建国以来、政治闘争、権力闘争に明け暮れていた為、「改革開放」政策によって、市場経済を導入しようとしたときに、技術も外貨もインフラも、まったく何もなかったわけです。そこで目をつけられたのが日本です。

日中国交正常化の際、周恩来は「賠償は要りませんよ」と言いました。ただし、頭の切れる周恩来ですから、日本が取るであろう行動を見透かしていたに違いありません。案の定、その言葉を受けて、人のいい日本人は「じゃあ、それなりに謝罪の意思表示しよう」ということで、以来、誰も正確に統計したことのない、天文学的な額の

世界に毛沢東思想を輸出する中国。「アメリカ帝国主義とその走狗どもを打倒せよ」と呼びかけている

ODAを中国に渡し続けています。合わせて人的な支援も行い、大勢の日本人技術者が中国企業に派遣されて、先端技術を伝授してきました。その結果として、上海の宝山製鐵所などさまざまな基幹産業が、日本の協力によって育成されました。

人的援助は理系だけにとどまらず、近代的な人文社会系の学問の分野でも、日本から多数の専門家が来ています。中国は一九八〇年代まで人文系の学問はすべて禁止されていて、「社会学や文化人類学なんて聞いたこともない」という状況だったからです。北京の日本学センターや北京大学、私が学んだ北京第二外大、その他上海などの大都市の大学に、大勢の日本人専門家がいました。つまり、中国は清末に続いて、一九八〇年代に再び近代的な知識を日本から体系的に導入しているわけです。
近代化に必要な「知識」「技術」「資金」という三本柱をすべて日本から導入し、そ
れによって中国は大躍進政策や文化大革命によって破綻していた経済を立て直し、技
術革新も果たすことができました。ほとんど白紙状態に近かった人文学系知識も立て
直せたわけです。ところが、日本はそれで歴史問題が解決できたと思っていたかもし
れませんが、中国はある程度実力がついてくると、そうした恩義を完全に忘れてしま
うわけです。いや、忘れてしまうというよりも、「利用できる道具」としてしか日本
を見なくなるのです。

だから、国内の問題を解決できなくなると、技術、お金、知識を提供してくれた恩
人を、外敵に仕立て上げることも躊躇しない。利益追求の為には他者を平気で裏切る
という思考形態は、やはり中国人の人格的問題、あるいは周囲をすべて見下す「中華」
という制度の特徴ではないでしょうか。

中国は暴力性だけでなく、したたかさも併せ持っているのでやっかいです。モンゴ
ル人はまんまとしてやられました。日本人もありとあらゆるものを提供して、これで
過去の歴史を一区切りできると思ったら、まんまと騙されたわけです。言うまでもな
く、国際常識に照らせばそれで解決するはずで、日本に責任があるわけではありませ

ん。例えばヨーロッパなら、二度の世界大戦があっても当事者たちはピリオドを打って解決しています。

日中間の歴史問題が解決しないのは、中国がいくら見返りをもらっても解決したと思わないことに原因があります。中国は国内においては、モンゴル人が中国に留まる代わりに高度な自治をやらせてもらうという約束を反故にされました。チベット人とウイグル人に対しても同様です。最初は甘い言葉で「大人（たいじん）」を装い、いざ自分の掌中に入ったらすべてをひっくり返そうとする。日本とは技術、知識、資金を提供するから終わりにしましょうと約束しても、また蒸し返す。いずれも本質的には同じことです。

それは人類史的に見ると中国人の特異性に思えてなりません。特に白人を礼賛するわけではありませんが、ヨーロッパ人は戦争が始まる前に戦後処理を考えるし、相手が武器を捨てたら捕虜を虐待しないし、捕虜になった人が帰国してから大統領にもなれる社会です。つまり、お互いを人間としてきちんと見ているのです。

そのような中国を相手に、日本は経済的に深入りし過ぎているところがあります。財界人や政治家は「日中関係回復が最大の課題だ」と言いますが、相手をしっかり見極めないといけません。一昔前までは、経団連の人たちが北京を訪問すると、日中友好の「井戸掘り人」が来てくれたと大宴会でもてなしてくれましたが、最近は行っても誰も会ってくれないといいます。

中国が本当に政治と経済は別物だと考えているならば、過去に助けてもらった恩人に会って当然なのですが、彼らはそうではありません。歴代の経団連会長もしきりに「日中友好」を唱えますが、北京へ行っても要人に会ってもらえるでしょうか。

「日中友好」と「民族団結」

日本との関係を処理する際に、中国はしばしば「中日友好」というスローガンを口にします。「中日友好」とは理念上は、異を残して無理矢理に同を求める（求同存異）ことを前提にした強引な友好構築です。しかし、一党独裁の国家では、異なる意見を力で封じ込めることもできるのでしょうが、自由主義国家の日本では不可能です。明治期から公論が成熟した日本社会には、多様な見解が生まれるのは当然でしょう。あって然るべき様々な意見を「反中日友好」だと決めつけられるのは、言論の自由がある民主主義国家では受け入れられるものではありません。

普通の関係を構築する為には「日中友好」という神話を打破しなければなりません。

私はモンゴルなど少数民族の歴史文化を研究しているので、複雑な民族問題を中国政府がいかに解決してきたのか、そのレトリックに注目してきました。

問題なのは、日本国内に「日中友好」を絶対的なものであるかのように考えている人々がいることです。中国に対して「中国は問題がある」と指摘すれば、必ず誰かから批判されます。すぐに「日中友好に反する」ということに話を持っていこうとする政治勢力がいるのです。

しかも、このような未熟な人々は日本国内の自由主義の風土を無視しているだけでなく、なぜか中国政府がチベット人やモンゴル人などの少数民族を弾圧し続けている事実に無関心、あるいは目をつむっていることが多いのです。また、無原則に中国を賞賛する一方で、日本の近代の歴史を批判しがちです。人権抑圧を続ける独裁国家は、褒め称えるに値する理想的な対象でしょうか？

国家同士の関係は、時々意見が合わなかったり、多少トラブルが起きたりするのが普通です。無原則に中国と仲良くしようと諂う人たちがいることが問題で、普通の関係になるだけでいいのです。お互いにメリットがあれば、ビジネスパートナーとしてその時々で仲良くすればいいだけで、「親友」になる必要は全くありません。「日中友好」という言葉が金科玉条であるかのようなことになっている現状が問題だと思います。

これを見て私が感じたのは、中国の少数民族問題に対する手口と全く同じだということでした。中国では国内の諸民族に対して、「民族団結」という常套句を標榜してきました。「民族団結」とは、支配者である中国人（中国人）と「無条件で仲良くすること」を強制することです。特別に中国人に不利になるようなことではなくても、少数民族が少しでも自己主張すれば、必ず次に出てくるのは「民族団結を破壊した」「分裂主義者だ」といった言葉であり、場合によっては逮捕され、処刑されるのが実態です。

毛沢東を愛する日本の山口県の「人民たち」。中国を称賛する日本人たちは一体、少数民族弾圧について、どのように考えているのだろうか

　中国において「民族団結」は、少数民族が待遇改善や正当な自主権利を求めることも、すべて民族団結に反する発言として封じ込める道具になっているのです。

中国は建国直後から「地方民族主義と大漢民族主義の双方に反対する」とのポーズを示しました。しかし、「地方民族主義者」とされて粛清された少数民族は大勢いますが、少数民族を抑圧し、さらには虐殺を行った「大漢民族主義者」が処罰された実例は、中華人民共和国史上、一つもありません。このこと一つとっても、「民族団結」が中国人すなわち漢民族の利益を優先しているのは明らかでしょう。

「日中友好」という言葉もそれとまったく同じです。多様な言論を封じ込める為の方便的なスローガンに過ぎません。今の日本では、あたかも日中友好を主張する人々が正統派のようになっていますが、「日中友好」は有毒思想であって、民主主義の制度に反する邪念です。日本の一部の人と中国の一部の人が、「日中友好」によって生まれる共通の利益を守る為に他の言論を封じ込めようという、国際独裁主義の危険な思想です。だからこそ多様な外交関係の構築についても、「日中友好」論者はそれを封殺しようとします。

日本は隣国である中国とは、嫌も応もなく付き合っていかなければなりません。しかし、健全な両国関係を築く為には、まずは「日中友好」という不自然な発想を捨てるべきではないでしょうか。

余談ですが、司馬遼太郎賞を頂いた私の著書『墓標なき草原』も、実はもう一つの権威ある文芸賞とダブル受賞の予定だったのですが、「内容的に日中友好に反する」という見解を述べて授賞に強硬に反対した選考委員がいたらしく、その賞はボツにされたということがありました。これも日中友好論者がその感覚で行った一例と言えるかもしれません。私の本を受賞作から外したからといって、中国の反日が収まったことはなかったのではないでしょうか。

1　韓流ドラマにおける歴史の改竄願望については、宮脇淳子著『韓流時代劇と朝鮮史の真実』（扶桑社、二〇一四年）に詳しい論考がある。

2　朝鮮が如何に清朝の属国として振る舞い、近代化のチャンスを逸してしまい、しまいには新興の日本に負けて行ったかについて、大谷正著『日清戦争』（中央公論社、二〇一四年）に詳しい。

第三章　シナの謀略「民族絶滅」

奴隷主たちに抑圧されているとされるチベット人。中国政府が作ったプロパガンダの塑像だが、今や中国政府によって監禁されているチベット人だと再解釈されている。日本の左翼芸術家たちもかつてこの種の作品を称賛していた

民族問題発生のメカニズム

世界各国に民族問題が存在する状況は、「民族自決」という理念が実現していないからであるということに尽きます。民族自決とは、自民族のことは自分たちで決めるというフランス革命以来の理念です。フランス革命の理念の多くは、それ以降の人類の普遍的な理念になりました。

しかしながら、人権尊重や民主主義などはすでに多くの国で実現されていますが、おそらく唯一と言っていいほど実現していないのが民族自決ではないでしょうか。しかも、世界を見渡すと、この民族自決がいまだに解決できていない、実現できていないのは主として社会主義国家においてなのです（1）。社会主義者たち、なかでも特に中国の共産主義者たちが民族自決について語らなくなったことは、マルクス・レーニン主義への裏切りであるといえます。

ソ連は自国領内に三〇〇以上、中国は五六の様々な民族が住んでいるという事実を公認しました。民族の存在を認めるということは、民族自決を彼らなりに当初は認めようとしたと理解できます。

ソ連の場合は、三〇〇以上の少数民族に対して彼らにも自決権があると明言して、さらに憲法の中で分離独立権を認めるという条文を書き込んでいます。後述するように、ソ連は少数民族を「ランク分け」して、それぞれのランクに応じた自治権を与えて、少数民族を統治しました。

そのため民族によっては、比較的大きな自治権を持つ場合もありました。とはいえ、頂点に位置するロシア人が少数民族を差別、抑圧、搾取する構図に変わりはなく、現実として分離独立もほぼ不可能でした。ただし、そうした法的根拠が付与されていたからこそ、ソ連は一九九〇年に流血の事態を招くことなしに解体することができたのだと思います。

すでに民族自決の下地があったので、民族間で殺し合いをすることなく、それぞれが独立国になることができました。私は一九九〇年のソ連の解体は、ソ連圏の諸民族の真の意味での民族自決の実現だったと考えています。そのようなソ連邦の崩壊を民族自決の視点から評価しなければなりません。

一方、中国共産党は「民族自決」という美しい言葉を一九二〇年代の建党当初から掲げていたのは周知の事実です。中国共産党は国民党と争っている間は、国民党が否定する民族自決を自分たちが実現させる為に努力しているかのように主張していました。毛沢東は、モンゴル、ウイグル、チベットは「中華連邦」を構成する一員として、独立を容認するとはっきり言っていたのです。独立したくない民族がいれば、無理してでも独立させようとまで宣言していました。

ところが、一九四九年に内戦に勝って政権を握ると「アメリカ帝国主義が新疆とチベット、それに内モンゴルの分離を画策しているので、民族自決ではなく区域自治に変更する」と一方的にそれまでの民族政策を転換させました。諸民族からすれば、それまでの民族自決の約束は、所詮はフロンティアの人々の離反を食い止める為の方便でしかなかったと映りました。

中国の場合、一党独裁の国ですから共産党が権力を握っています。自治区でも自治州でも自治県でも、あらゆる自治地域では行政のトップこそ少数民族出身者が就いていますが、共産党書記は絶対に漢族すなわち中国人が占めています。これはあからさまな少数民族に対する政治的な抑圧です。行政は党が了承しなければ動けないので、これでは植民地と同じなのです。

今となっては、最初から有名無実だった「区域自治」ですら中国人たちには我慢ならなくなったようで、「自治(アウトノミ)」の名を取りやめ「共治(ジョイントノミ)」を実施しようと奮起しています。実態は「共治」どころか、とっくに「漢治」であるにもかかわらず、中国人は少数民族に最後の文化的ジェノサイドのトドメを刺して、「中華」に同化、絶滅することを目論んでいるのです。

こうした実態を見れば、自分たちは騙されたとの心情が、ウイグル人やモンゴル人、チベット人の脳裏から離れません。中国はそうしたわだかまりを消そうともしないから、いつまでたっても民族問題が風化することなく存在するわけです。

社会主義国家に民族問題が存在しつづける理由

フランス革命以降、社会主義にしろ資本主義にしろ、指導者たちは国民国家を作ろうとして、とにかく国民の統合を進めようとしてきました。

例えば本家フランスにしても、アルザスにはドイツ語を話す人々がいたし、スペインとの間にはインド・ヨーロッパ系の言語に属さない独特な言葉を母語とするバスク人もいました。しかし、無理やり「フランス国民はフランス語を話すのだ」といった具合に統合したわけです。そのため現在でもバスク地方の民族問題などが残っているのは事実です。しかし、民族問題が過激化しないのは、やはり民主主義が大前提であり人権が保証されているからであり、そして緩やかな統合だからです。

ところが、社会主義は謳っていることが大変美しいのですが、中国を見れば明らかなように、その実態が最悪である為に、より裏切られたという感情が強くなり、より問題が噴出しやすいわけです。

フランス革命とパリ・コミューンを謳歌した中国のプロパガンダ用ポスター

資本主義国家は漸進主義の上に成り立っているので、いきなり「民族の消滅」などという夢を抱きません。日本も厳密に言えば民族問題がないわけではありません。しかし、問題があっても独立運動、ましてや爆弾テロという形で解決しようとは、当事者は誰も思っていません。どの国も大なり小なり、オーストラリアやアメリカやカナダだって民族問題はあるのです。

ただ、民族問題があることを前提として、それを双方が解決できるという気持ちで、交渉しながらよりよい方向へ導こうとします。中国やソ連のような社会主義国家は、それができなかった。とりわけ今の習近平政権は、全く平和的に解決する気がありません。ひたすら強権的に抑圧し、反発すれば殺すことも平気です。

中国の場合は、一九四九年以降、とにかく「砂を混ぜる」政策で、モンゴル人やウイグル人が住む地域に大量に中国人を移住させて人口を逆転させ、数の力で抑え込もうという、強引な同化政策を取ったのが、一番民族問題を作っている原因です。

戦前の満洲国は「五族協和」というスローガンを掲げていました。満洲国にも全く問題がなかったわけではありませんが、一応はその理念を実践する努力はしていました。前述したように、モンゴル人が住む地域ではモンゴル人の高度の自治が保証され、中国人が草原に入植することを禁止していたし、すでに入ってしまっている中国人農民については、モンゴル人と住み分けるような施策をとっていました。

今日の中国よりも、モンゴル人の権利が守られていたのです。満洲国軍の中には複数の師団の騎馬兵からなる、興安軍というモンゴル人独自の軍隊もあったのです。興安軍の一部は日本の敗戦後に内モンゴル自治政府に合流しましたが、中華人民共和国が成立すると、政府は真っ先に民族独自の軍隊を解体しました。そして一九五四年に制定された憲法で、民族独自の軍隊を認めないと定められた。当初は独自の政権、独自の軍隊など、内モンゴル側の要求を全て認めると言っていたのに、裏切られるわけです。

内モンゴルの指導者、ウラーンフーが一九四九年九月に中国に対して外交権以外の高度な自治権を求めましたが拒否されます。ウラーンフーも含めて内モンゴルの民族運動の指導者たちは後になって後悔しましたが、国民党は民族自治を一切認めない立場だったので、共産党のほうが美しく見えてしまったのです。

では、台湾に逃れた国民党は先住民問題にどう対応しているか。国民党も「二・二八事件」のように、台湾の先住民を弾圧し、虐殺もしましたが、特に一九九〇年代、李登輝総統になってからかなり改善しています。台湾の国民党関係者の友人とも話をするのですが、いずれにしろ彼らと一致したのは、国共内戦で国民党が勝っていたら、共産党ほどモンゴル人を大量虐殺はしなかったでしょうということです。

国民党は青海省、新疆省などで少数民族を支配していて、内モンゴルも八つほどの省に分けて分割統治していました。しかし、それぞれの省内に政府主導による中国人の移民、いわゆる「砂を混ぜる」政策は実施していなかったので、複数の省があってもモンゴル人が絶対的多数を維持できていました。よって、文化大革命のときのように、マイノリティとして集中攻撃されることもなかったでしょう。

また、国民党の中国人軍閥も内モンゴルで相当な虐殺行為を働きましたが、いうなれば「私欲」か地域的な利益確保に基づいた単純な行動が大半であって、国家が主導する集団的ジェノサイドではありませんでした。

その状態のままであれば、チベットとウイグル、それに内モンゴルの一部も、場合によっては独立が叶ったかもしれません。しかし皮肉な話ですが、国家意思をもって躊躇なく殺すという非情な決断ができなかった為に、国民党は国共内戦に敗れたともいえます。知識人がやくざとケンカして勝てるわけがありません。

悪質な中華流植民地の実態

植民地体制は一九六〇年代に終焉を迎えたわけではありません。むしろ社会主義植民地、あるいは中国流植民地は、ヨーロッパを宗主国とする植民地が崩壊していく中で、共産主義のイデオロギーによって正当化され、一九六〇年以降に強固な体制を確立してきました(2)。

「民族解放」という旗が色褪せてきた今日、賢い中国人たちは「開発」と「発展」と

内モンゴルの草原で略奪的な開発をおこなう中国の企業。モンゴル人たちの平穏な生活環境はどこにも残されていない

いう新しいスローガンを発見して、植民行為を一層強化しています。いわゆる「西部大開発」です。西部大開発は、一九五〇年代から持続的に進められてきた「先進的な兄貴」が「後進的な弟」を援助する為の植民行為を、さらに促進することを建前にしています。

中国では中国人すなわち漢民族を兄貴に、その他の少数民族を弟に譬えるプロパガンダがあります。人数の面で九割以上を占める中国人が兄貴を自認すること自体、一種の低俗的なヘゲモニックな統治手法であります。中国人は常に先進的で、少数民族は永遠に助けを必要とするというヘゲモニーの実演です。

二〇一一年五月一一日、内モンゴル自治

区シリーンゴル市近郊のモンゴル人牧畜民が、中国人によって殺害されました。天幕の近くで石炭の露天鉱が発見され、連日昼夜に渡って数百台もの中国人のトラックが殺到していました。トラックは草原の上を無秩序に往復し、脆弱な植皮を破壊して沙漠化をもたらし、家畜を轢き殺しても弁償しようとはしませんでした。たまりかねた牧畜民が抗議すると「モンゴル人を殺しても、わずかばかりのカネを払えば済む」と暴言を吐いて、牧畜民に襲い掛かったのです。

こうした出来事は氷山の一角に過ぎず、同様の凄惨な事件は現在でも数多く発生しています。モンゴル人が反発すると、中国共産党はそのつど人民解放軍を投入して武力で鎮圧し、資源の掠奪を「開発」と「発展」の為だと正当化してきました。この現実を見る限り、草原を守ろうとするモンゴル人と、開墾開発（実質は略奪と破壊）しようとする中国人の対立は、二一世紀に入っても何ら変わっていません。

また、日本やイギリスの植民地支配とは大きく異なる点があります。それらの国の行政官は雲上人として君臨して、優雅に顧問の役割を果たす以外に直接手を下さなかったのと対照的に、中国人は党のトップからトイレの清掃員に至るまで、あらゆる職種を中国人が奪ってしまう。資源を根こそぎ搾取するのは同じでも、現地の雇用やインフラ整備にはつながらず、同じ植民地統治でもタチが悪い。新たに編成された階層制度の最底辺に現地の少数民族を追い込む、というのが中国流植民地の目的であり、現在進行形の実態です。

それと同時に、清朝時代から続いてきた少数民族の「古めかしい」行政組織名である「盟」や「旗」は、「進歩のシンボル」たる「市」に改名されていきました。そして、新しい市には後から来た中国人の言葉が冠されました。

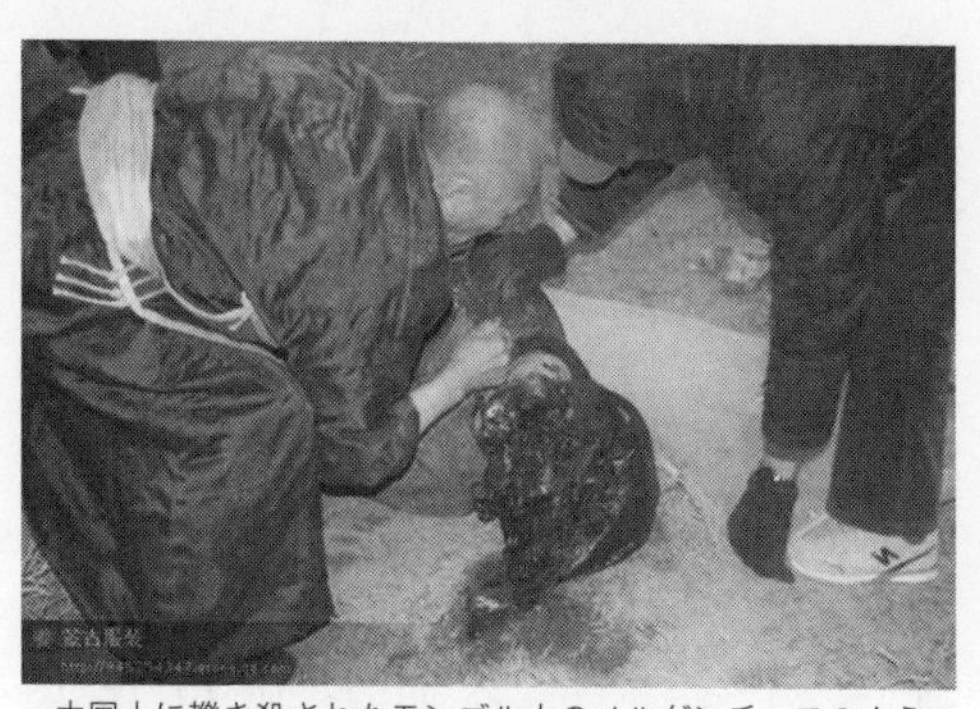

中国人に轢き殺されたモンゴル人のメルゲン氏。このような暴力行為はほぼ毎日のように発生している

内モンゴルの場合、例えばジェリム盟は通遼市になり、ジョーウダ盟は赤峰市になり、モンゴル人が伝統的に用いて来た地名は次から次へと葬り去られていきました。そして、モンゴル語の地名は消され、代わりに中国語の地名が登場しています。こうした文化的ジェノサイドは現在も進行中です。

さらに言えば、少数民族地域のみが中国の「内的な植民地」ではありません。少数民族の多くが国境の向こう側に同胞が居住し、別の国民国家を擁している事実から推測するに、中国が今後、自国の利益に関わるとする地域を、すべて植民地化する傾向もすでに表れています。

最も顕著な証左の一つが、中国主導で結成された「上海協力機構」における周辺国への影響力行使でしょう。参加国のカザフスタンやキルギス、それにモンゴル国などに働きかけて、中国領内に住む「テロリストと極端な宗教主義者、民族分裂主義者」らを、その同胞の拳を借りて叩き潰そうとしています。また、アフリカの独裁者たちに武器を売り渡してジェノサイドに加担しながら、その見返りである現地の資源をひたすら収奪しています。

「少数民族は遅れているので、漢民族が助けにいかなければならない」、と中国人は何の根拠もなく、他民族を「遅れている」と決めつけます。そして、「少数民族を助ける善良な中国人共産主義者の責務だ」、と彼等は強弁します。

この一方的な決めつけは、エドワード・サイードが指摘する、植民地支配に見られる「再設定・再設置」行為に通じます。エドワード・サイードはパレスチナ出身のアメリカ人批評家で、『オリエンタリズム』という名著を出して一躍世界の注目を浴びました。彼によれば、ヨーロッパ（西洋）はオリエント（東洋）を自身と正反対の他者として位置づけて、その後進性、停滞性、非合理性を一方的に強調してきたといいます。

中国も全く同じです。中国人すなわち漢民族は常に文明的で、先進的であるのに対し、周辺の諸民族と諸国家はずっと野蛮と無知蒙昧な状態に彷徨ってきた、と夢想します。その唯我独尊の思想は対少数民族の政策と対周辺国の外交政策にも表れています。いわゆる中華思想の尊大なところが、中国の民族問題と外交的孤立を招いている、といえます。

そこには民族革命・民族問題の性質を凌駕し、生業のエートスをも超越した「文明間の衝突」という歴然たる現実があります。

中国人を狂気乱舞させた植民地経営の「発展段階論」

なぜ、中国がそうした植民地経営を始めたかといえば、それは共産主義思想の導入が「中華思想＝華夷思想」をより強固にしたからだと推察できます。中国人すなわち漢民族だけが優れていて周りは全部野蛮な人間と見做し、周囲を「南蛮北狄東夷西戎」と呼んで蔑み、漢民族に従うのは当然だと考える。これが華夷思想です。ちなみに日本は東夷の範疇に含まれます。

では、華夷思想が共産主義思想と合体してなぜエスカレートしたのか。それはマルクスの共産主義思想は、基本的に「発展段階論」だからです。人類は「原始社会」に始まり、「奴隷社会」を経過して「封建社会」になる。それから「資本主義社会」になって、最終的には理想世界たる「共産主義社会」が成立するという考え方が発展段階論です。

実際には、そのような経過を辿った人間社会は文化人類学の見地からは歴史上どこにもなく、マルクス＝エンゲルスが作った空想に過ぎないものですが、この理論は中国人を大いに喜ばせました。

つまり、雲南の少数民族や、満洲の森の中で暮らしているツングース系の少数民族は原始社会に相当し、その次に遅れたチベットは奴隷社会で、モンゴルやウイグルは封建社会、そして自分たち中国人は現在、資本主義社会にいる。最も先進的な自分たちが、それらの民族の上に立たねばならない。このように解釈することで、マルクスの発展段階論と中華思想はピタリと一致したのです。

中国人は、チベット人は奴隷社会で、封建的な奴隷主に虐げられているのだから、「ダライ・ラマの集団」をインドへ追い払って一般大衆を「解放」した。森の中に住むツングース系狩猟採集民に移住を強制し、定住させることで「原始社会から一気に共産主義に引き上げた」、などと誇らしげに言います。「われわれ漢民族が彼らを教育して

2011年にモンゴル人の牧畜民が中国人に轢き殺されたのを受けて、抗議行動に参加したモンゴル人高校生たち。写真提供:SMHR

解放しなければならない」、というのが中国の民族政策の基本的な理論です。中国人はそこから飛躍して、だから少数民族に対して何をしても自分たちは正しい、と思いこんでいるのです。だからこそ、外国のベトナムを「懲罰する戦争は正義の戦いだ」という不遜な発想も一九七九年春に生まれてくるのです。

　中国の場合、華夷思想が前提にあることを考えると、最初から民族自決を方便として考えていた部分があると思います。そして中国人こと漢民族が一番優れた民族であると考えていた人たちにとって、マルクスの発展段階論を受け入れた時に、方便だったものが今度は理論的にも諸民族には自決権を与える必要がないという根拠を与えたのです。

一応、当初はマルクスの信徒を装っていたので、その教義通りに民族自決の原則を謳っていたけれど、次第に華夷思想と一体化してゆき、共産主義でありながら異質なものを形作っていった。中国にとって、それは必然だったと思います。逆に言えば、ロシア人には華夷思想がなかったから、ソ連邦の憲法に諸民族の自決権を認めると書けたのです。ソ連の憲法は、いわゆるスターリン憲法やブレジネフ憲法など、その時々の権力者の政治姿勢によって何度か微修正されていますが、しかし、民族自決権に関しては一貫して保証されてきました。

一方、中国の憲法には「諸民族は古くから我が国の固有の領土に住んできた」と一方的に書かれ、民族の自決権が否定されている。そこが同じ共産主義国でありながらも、ソ連と中国の違いなのです。

少数民族とロシア人、中国人との関係は、結婚で比喩するとわかりやすいかもしれません。ソ連の憲法は少数民族とロシア人の結婚が上手くいかなくなったら、離婚が許されていました。ところが、中国の場合、一度結婚してしまったら、死ぬまで嫌な中国人と一緒に暮らすしかなかった。離婚権が認められていないので、いくら暴力を振るわれても我慢するしかないのです。

中国の異文化に対する非寛容さは、いろいろな場面で垣間見られます。世界遺産にも指定されている北京の故宮博物院（紫禁城）は、満洲人の清朝皇帝がおよそ三〇〇年にわたって暮らし、大清帝国を運営してきた場所です。かつてはあらゆる宮殿の宮門には、満洲文字とチベット文字、そして漢字で書かれた額縁が掲げられていました。さまざまな民族を同時に統治した、多言語国家の実態を誇示する文化的装置でした。

ところが、ここ数年で、徐々に満洲文字とチベット文字が次第に排除され、漢字の額縁だけが宮門を飾るようになっています。また、いっときスターバックスが故宮博物院に出店していましたが、「西洋文化の侵略だ」と「人民」に叩かれて、ついには撤退を余儀なくされたというのも有名な話です。

一方、モスクワは一二世紀の小さな砦を起源として、モンゴル帝国による二〇〇年の間接統治を経て、ヨーロッパ有数の美しい都市へと変身しました。クレムリンという言葉も、もとは城塞を意味するトルコ・モンゴル語でした。ロシア皇帝の居城からソヴィエト社会主義連邦の心臓部へと変わった歴史は周知のとおりです。

しかし、ソ連が崩壊して歴史と化した現在でも、共産主義のシンボルたる「赤い星」は、いまだクレムリンの各宮殿の頂上を飾り続けています。ロシアは共産主義の抑圧とは決別しましたが、美的な装飾としての星だけは残したのです。一九三七年に鋳造され、重さ一トンに達する星の昼夜を問わずに煌びやかに輝き続く雄姿は、ユーラシア国家としての大国ロシアの都に相応しい、調合のとれたマークだと考えているからでしょう。また、歩き疲れた観光客も、手軽に「アメリカ帝国主義」発のコーヒーをすすって喉の渇きを癒すことができます。以上は、私自身が北京とモスクワを歩いてみて、観察した事実です。

中国とロシアもともに大国であり、そこに住む人々はともに共産主義を体験した人々のはず。異文化と国際社会に対する寛容さの差異はどこから生まれてくるのでしょうか。

「歴史ある民族」と「歴史なき民族」

ソ連も憲法で民族の自決、分離独立権を認めてはいたものの、国内で少数民族の不満が完全に消えることはありませんでした。その民族問題が何に由来していたかというと、マルクスの弟子であるエンゲルスが主張した「歴史ある民族と歴史なき民族」という有名な理論です。

中央ユーラシアに居住する諸民族は総じて文化レベルが低いけれども、その中でも

モンゴル高原に残る古墳。古代の遊牧民たちは中国とは異なる文明を創り上げた

「歴史ある民族」と「歴史なき民族」に区分される、とエンゲルスは説きます。そして「歴史ある民族」は国家を持つ資格があり、「歴史なき民族」は他者の支配を甘んじて受け入れるべきだというのです。同時にドイツ人であるエンゲルスは、ドイツ人が周辺では一番優れているから、ハプスブルク領内の少数民族はウィーンの命令を聞きなさいというようなニュアンスも含ませていました。

これは今日では強い批判にさらされている理論なので、日本の左翼の進歩的知識人たちも触れようとしませんが、社会主義思想の根底には、当時からこうした差別的な考え方があったのです。

エンゲルスの言うところの「歴史」とは、

要するに過去において西洋風の国家を作った前例があるか否かということです。つまり、シベリアの先住民や中央アジアの小さな狩猟・遊牧民族は西洋型の国家を作ったことがない。よって、ロシア人の支配を甘受しなさいということになるわけです。

エンゲルスの頭の中にあった国家とは、ヨーロッパ風の国家像でした。領主がいて城があってという、いわば農耕都市民の考え方です。ユーラシアの遊牧民は常に移動するので、都市なんかには住みません。しかし、それはそれで立派な「国家」を成しているのです。遊牧民が定義する国家は、「人間の集団（ウルス）」です。土地よりも人間そのものを重視した観念です。

エンゲルスのような社会主義者たちは、国家概念がヨーロッパとではまったく違うという実情を理解せずに、合理性に欠けた空論を研究室のなかで練り上げただけだといえます。

ところが、この理論は、ローザ・ルクセンブルクなどの女性社会主義者にも強烈に支持されたほか、ロシア革命後、レーニンとスターリンもこれに倣いました。まず、ロシアを中心とした「歴史ある民族」はソ連を構成する「共和国」にして、歴史が知られていても国をもったことがない民族は、各共和国の中で「自治共和国」にしました。

シベリアのブリヤート共和国の首都ウランウードに残るレーニン像。ここもモンゴル人の国家

さらに弱小な民族は「自治州」、「自治管区」といった具合にランク分けしていった。このようにソ連の民族政策はピラミッド式になっていました。こうしたランク付けは、それはそれでロシア人からすれば合理的なのかもしれませんが、やはり諸民族からすれば腹が立つ話であって、今なお旧ソ連内で民族問題がなくならない原因はそこにあります。

中国の場合はエンゲルスの理論をさらに分かりやすく、というよりも自分たちに都合よく解釈しました。

東北部の満洲の森林地帯に暮らすツングース系あるいは雲南省や貴州省の少数民族は、外の世界を何も知らない原始社会であり、多少進歩したチベットは奴隷社会、もう少しマシなウイグルとモンゴルは封建社会であり、最も文明化した中国がそれらの人々を共産主義の理想社会に導くのだから、言うことを聞かない人々は制裁を加えても、善行を行っているのだから当然という意識で、ロシア人以上に覇権主義的、権威主義的に振る舞いました。

ロシア人が人口や勢力に応じて、機械的に「仕分け」したのに対して、中国の場合はそこに「華夷思想」が加わってしまったのです。

共産主義思想と中国人の華夷思想が合体すると、これは悪魔のような、危険な思想に膨張します。もともと華夷思想という問題のある考え方を持った人たちが、近代に入ってからマルクス主義という武器を手にしたことは、人類最大の不幸です。

日本人は中国よりも先にマルクス主義、共産主義の思想に触れていましたが、華夷思想のようなものを持たなかったので、中国人のような暴徒にはなりませんでした。日本では純粋に学説、理論として信じている人がほとんどで、共産党にしろ社民党にしろ、多少の騒ぎはしても中国のように暴徒化はしないのですから可愛いものです。

「中華民族」とは何か

日本ではあまり言及されませんが、「中華民族」という民族はどこにも存在しません。

中国は漢族と五五の少数民族からなる「中華民族（チャイニーズ）」が、古代から分割不能な国民であるとの公式見解をとっています。しかしこれは、多民族国家のアメリカ国民を「アメリカ民族」と定義するようなもので、「中国に少数民族問題は存在しない」という立場からの虚構、幻想にすぎません。

学術的に言えば、民族には絶対的な枠組みや定義というものはありません。例えば古代から一九世紀末までなら、同じ価値観を持っていれば、宗教や言語、人種は問いません。例えば、匈奴の時代から満洲までは、だいたい大きな一括りになっています。同じ価値観、生活様式なら、宗教や言語が違っても、みんな匈奴、みんな蒙古、みんな満洲という民族になるわけです。

満洲は「八旗」と呼ばれる軍事組織、社会組織からなっていました。この八旗には、実は満洲八旗と蒙古八旗、漢軍八旗がありました。満洲八旗はその名の通り、満洲語を話すオリジナルの満洲人ですが、漢軍八旗は漢語を母語とする人々です。歴史学者の岡田英弘氏と宮脇淳子氏によれば、朝鮮半島の平壌から遼河デルタに移住して、徐々に漢語をしゃべるようになった高麗系の人々が、長らく満洲人と一緒に暮らすうちに、自分たちは満洲人と自覚するようになったのです。

彼らは満洲人と同じ価値観、同じ思想なので漢軍八旗として組織された。蒙古八旗というのも、やはり母語はモンゴル語ですが満洲人と価値観が非常に近く、早い段階で満洲に帰順していたので満洲人となって蒙古八旗と呼ばれました。これらの人々は話す言葉は違っても、みんな満洲人なのです（岡田英弘著『世界史の誕生』筑摩書房、一九九二年、宮脇淳子著『モンゴルの歴史』刀水書房、二〇〇二年）。

清朝になってから三〇〇年間、この満洲八旗、蒙古八旗、漢軍八旗は「旗人」と呼ばれ、いわば満洲の貴族として支配階層を構成していました。一九一二年に清朝が崩壊した際、旗人たちは「さて、われわれは何人でしょうか？」と考えますが、しばらくすると、やはり中国国内の満洲族として落ち着くわけです。このように、民族というのは、結局は「帰属意識」の問題です。

スターリンは同じ言語、同じ文化、同じ心理、同じ経済を持っていれば同じ民族と定義しました。これが最も権威ある定義であるのは間違いないのですが、それに当てはまらないのもあるのです。満洲族のような場合は、スターリンの定義には当てはまらないのです。

逆に言えば、モンゴル人やウイグル人、チベット人、さらには日本人にしても、はるか古代からシナという集団に、一度も帰属意識を持てなかったのではないでしょうか。モンゴル人は中華世界の異質性に気づいていたから、ブロックして入れなかった。

もちろん万里の長城は中国人が自分で作ったので、われわれが作ったものではありませんが、古代からお互いに相容れなかったのだと思います。

モンゴル、日本ともに先人たちは昔から「中国（シナ）」というものをきちんと認識していたので、はるか昔から中国の物質的な文化は導入しても、ソフトは導入しませんでした。文字を作る際も、日本人は漢字を取り入れつつ、漢字を参考にして独自にひらがな、カタカナを作りました。モンゴル語系の言葉を話し、広大なキタイ帝国を一〇世紀から一一世紀にかけて創立した契丹人は漢字を完全に改変して「契丹大字」と「契丹小字」という二種類の文字を作りました。契丹文字というのは非常に面白い文字です。一見、漢字のようですが、読めるようで読めない。

満洲人の祖先にあたる金も、タングートの西夏も、漢字を徹底的に改造して自分たちの文字を作りました。また、それ以外の中国と隣接している諸民族は、漢字とは全く違う文字を取り入れています。チベット人は、インド系の文字を導入してチベット文字を作り、ウイグル人、キルギス人、カザフ人は、アラビア文字を導入してウイグル語、カザフ語を表記しています。

モンゴル人は、ウイグル人からシリア文字を導入して、今のモンゴル文字が出来上がりました。朝鮮半島はそのまま漢字を神聖なものとして導入して、かつ儒教的な価値観も中国と一緒になる。朝鮮半島とその他の民族との違いも、多分その辺りにあるのではないでしょうか。

文字といった文化だけでなく、私たち中央ユーラシアの遊牧民は中華の人たちとは価値観が根本的に違います。個人的な経験を一つお話しましょう。ある寒い夜、車が故障したので、やむを得ず道路の近くに住む中国人農民に助けを求めました。モンゴル人にしろカザフ人にしろ、ユーラシアの遊牧社会にはもてなしの伝統があり、他人が困窮しているのを見かけると我先にと助けようとします。

旅人に泊まってもらうことを、遊牧民たちは一種の名誉だと考えています。私もそれが普遍的な価値観だと思っていました。

ところが、マイナス三〇度まで下がる厳寒の中で私たちが車を修理しているのを見ても、中国人農民は気にもかけません。わずか数十メートルの距離にある農家の軒先まで、故障車をトラクターで引っ張るよう頼んだところ、天文学的な数字のお金を要求されました。交渉に交渉を重ねて、ようやく農家の庭に車を入れて泊めてもらうことになりましたが、翌日には法外な宿泊料を支払わされました。

遊牧民社会で数か月間居候しても、彼らから金銭を求められたことは一度もなかったのに比べて、天と地の差があります。また、遊牧民からは、中国人を泊めると、彼

モンゴル高原に建つ契丹人の砦。契丹の名はキタイとして遥かヨーロッパまで知られていた

らが出て行った後はたいがい何かしら持ち去られているという話を聞いたことがあります。

「モンゴル人と中国人は違う」

とすべてのモンゴル人はそう思っています。その違いは無限にありますが、日々の行動パターンや価値観が根本的に異なっているとしか言いようがないのです。

実のところ「漢民族」という概念すら、中華民族と同じく非常に怪しい存在です。大きく分けても北と南の人々ではまったく異なります。南は人種的にも言語的にもタイ系の人々であり、食文化も異なっている。南は稲作文化で米を作って食べてきたし、北は小麦が主食です。また、様々な段階で北方、あるいは西からの遊牧民と混血しています。

現在であれば漢語すなわち中国語を話し、漢字を書く人々が漢民族ということになっていますが、これも非常に新しい概念なのです。二〇世紀に入って「普通話」(中国の標準語)が普及して以降の話であり、本来なら上海語、広東語、北京語などがあって、これらの言葉はお互い通じません。まず文法が違う上に、細かい部分の語彙も違う。漢字で書けばお互い読むことはできますが、会話ではコミュニケーションできません。

中国政府がとにかく均一化した漢民族を作ろうとして普通話を普及した結果、漢民族というとてつもない巨大な集団が出来上がったのです。よって、正確には彼らも同一民族とは言い難い。地域ごとに、その文化や価値観も異なるのです。

このように漢民族といっても、実態はそれぞれ隔たりがあるにもかかわらず、孫文が「われわれは全員中国人だ」として一つにまとめた時に、もともと存在した中華思想がおそらく歴史上どの時代よりも強くなり、華夷秩序も以前よりより強く認識するようになった。国民国家を作る過程で、漢族という民族が「孫文発、毛沢東経由」で圧倒的多数にまとめられた時点で中華思想が強まったのだと思います。

それが少数民族に対する強圧的、暴力的な態度に拍車をかけていったのだと思います。

中国と朝鮮半島に当てはまる「アジア的停滞」

もう一つ、日本の左翼がタブーとしていることがあります。それはマルクスの「アジア的停滞」と「専制主義的アジア」という考え方です。端的に言えば、マルクスはアジアを非常にバカにしていたのです。アジア人は遅れていて、自分たちをどう表現するかすら知らない、だからアジアは停滞しているのだとの趣旨の発言を繰り返していました。それ以来、ヨーロッパの研究者は皆アジアを見下して見るようになりました。

ただ、マルクスの意見は部分的には正しい面もあると、私は考えています。「アジア的停滞」という言葉は、まさに中国と、そのミニチュア版である朝鮮半島には当てはまる。あの社会の構造的な腐敗と専制主義的政治は、まさにマルクスの言うアジア的停滞です。

一方で、日本と遊牧民には当てはまらないという点で、マルクスは間違っていると思います。梅棹忠夫氏は『文明の生態史観』でそれに近いことを言っています。梅棹氏によれば、日本の場合、地理的にはアジアの東のはずれにあるのだけれど、実は文明的には西欧に近いということです。

実際に、封建社会を経てきた歴史など共通点も少なくありません。中国の歴史には、厳密な意味での封建社会は存在しませんでした。つまり、文化人類学者の私に言わせれば、むしろ彼らのほうがいまだに奴隷社会のままなのです。アジア的な停滞とは、いわば中華世界的な停滞性と言い換えることができるでしょう。

実のところ、マルクスが指したアジアとは中国を念頭に置いたものでした。そうであることを考えると、発展段階論を経ていない中国が共産主義に至ることはあり得ない。中国が共産主義を導入したこと自体が筋違いであり、だからこそおかしなことになっているのです。

「一つの幽霊がヨーロッパの大地を徘徊している。共産主義の幽霊だ」と、一八四八年にマルクスは『共産党宣言』の中で書きました。二〇世紀になって、この「幽霊」は中国の中国人と結びついて、中国人共産主義者という特殊な暴力集団が生まれました。この暴力集団は、少なくともモンゴル人にとっては悪魔のような存在となりました。中国人共産主義集団の勢力拡大にしたがい、東アジアの大地に厄災も拡がって、長城の北側で幸せに暮らしていたモンゴル人たちの受難の時代が始まったのです。

ただし、中国が標榜する「中国的特色のある社会主義」なるものは、厳密な意味での共産主義ではありません。むしろ似て非なるものといっていいでしょう。中国は今でも停滞したままです。中国は外国から先進的な技術や機械を導入しても、根底に「アジア的停滞」を生んだ専制主義思想を残したままなので、将来的にも先進国にはなりきれないし、ソフトパワーを発揮できません。

経済力や軍事力は、これからさらに強くなるかもしれませんが、「アジア的停滞」から抜け出せない限り、中国的価値観を人類が共有するようなソフトパワーを持つことはないでしょう。このように、中国という国家は夢想と矛盾の殻を自ら創成して、そしてその殻の中で自己満足する存在です。

中国は「古くから統一された多民族国家」ではない

中国人民族学者・費孝通は、「中国は古くから統一された、漢民族を中心に凝集された多民族国家である」との遺言を残して死去しました。その後、政府とその御用学者たちは彼の遺志を受け継いで、中国人（漢族）を「兄貴」にした、さまざまな「兄弟民族」からなる「統一された社会主義多民族大家族」を称揚し続けています。しかし、本当にそうなのでしょうか。

「中国は古くから統一された多民族国家だ」と中国人が一方的に主張する裏側で、常に少数民族側の離脱の歴史が繰り返されています。これも少数民族が中国による統治を植民地支配だと理解していたからです。

中国の歴史を年表的に見ると、すぐにわかることがあります。それは、統一国家が存在した時期よりも、分裂状態だった時代のほうがはるかに長い、ということです。しかも、統一国家があった時代にしても、もちろん今日の中国の版図ではない。万里の長城の南側に限っても、より大きな領土としてまとまった時代は、実は非常に短いのです。しかも、文化人類学的に見ると、分裂していた時期のほうが文化的には華やかで、はるかに面白い。

例えば、春秋戦国時代には七つもの国が割拠していて、それぞれ違う人種がいて、違う文化が栄えていました。あるいは五胡十六国の時代も、インドや西側世界との交流が盛んな国家もあれば、そうではない国もあって、北魏のように立派な仏像がある国とほとんどない国もあるといったように、多様性に溢れていたのです（楊海英著『逆転の大中国史』文春文庫）。

もうひとつ面白い現象は、確かに統一された国家、王朝も現れましたが、実はほとんどの場合、漢民族以外の民族が統一国家を作っているということです。例えば中国人が大好きな宋にしても、岡田英弘氏の『シナ（チャイナ）とは何か』によれば、建国した趙一族は、おそらく北方遊牧民系であるといいます。元はもちろんモンゴルだし、唐も鮮卑系あるいは拓跋系です。およそ三〇〇年間続いた清は満洲人です。古代の漢はその名の通り、確かに漢民族の祖形だったかもしれませんが、それも岡田氏によれば、実はタイ系に近い民族だったということです。漢民族が建てた統一王朝というのは、実際はほとんどないのです。

このように二重の意味で、「中国は古くから統一された多民族国家だ」という仮説は成立しないのです。

1970年代に繰り広げられた林彪・孔子批判を現した宣伝写真。少数民族はこのような政治的な場でも利用されている。今、中国は再び孔子を中華文明の代表者だとして持ち上げて、孔子学院を各国で設置している。節操なく振る舞うのが、中国人政治家の特徴

そもそも「中国は」というところの主語の「中国」の概念も、実は問題があります。つまり、歴史上あったのは支那、チャイナであって中国ではない。中国という概念は中華民族と同様に、辛亥革命以降に登場した政治

概念なのです。

われわれモンゴル人も含めてユーラシアの遊牧民は歴史上、中国を指して音読みで「ジョングウォ（＝中国）」という言葉を使ったことはありません。現在のモンゴル語では中国を指す「ドンダドウルス」という言葉がありますが、この「真ん中の国」という直訳も、一九二〇～一九三〇年代になってようやく出てきた言葉です。

われわれモンゴル人は代々、中国を指して「ヒャタドゥ（＝漢族の国、漢の国）」、あるいは「イールゲン」と呼んでいました。これはトルコ・モンゴル語で「隷属民」「被支配者」という意味になります。モンゴル人は一般的に、今でも中国人のことを普段はイールゲン、多少敬意を持って言うなら「イールゲンクン（＝属民）」という言葉を使います。モンゴル人には元の時代に自分たちが支配者だったという記憶が言葉として残っているのです。

また、少し気取った言い方をする場合は「ジャナグ」といいますが、こちらはチベット語です。つまり、モンゴル人にとっても、歴史上ずっとあったのは「隷属民の国」であって、「天下の中心」たる中国という概念は知らなかった。だから私が日本に来て、日本では「支那」という呼称が差別用語になると聞いたとき、「魯迅だって支那と言っているのに、なぜでしょう」と腑に落ちませんでした。

博士論文で中国について、「私たちはジャナグと言う。これは魯迅の文章の中の支那を意味する」と書いたのですが、周囲からはとんでもない差別用語を書いているかのように言われました。私は事実を書いただけで、差別している気もなかったのですが、それではイールゲンクン（＝属民）と書けばよかったのでしょうか。私が中国人だったら、こちらのほうが余計に腹が立つと思うのですが。

やはり歴史上にあったのはチャイナであり支那だとしかいえない。支那はチャイナを日本語に言い換えたものに過ぎず、支那が差別用語かのように認識されるようになったのも、GHQが日本人に強制した観念で、日本人が過度に自粛したところからきているのです。ようやく最近になって、このように岡田英弘氏が分かりやすく説明しておられるので、私もこれから大いに使おうと思っています。支那は差別用語でも何でもありません。むしろ中国の歴史を客観的に見た場合の的確な用語なのです。

岡田氏はもちろん歴史学者として様々な第一次資料を基にして、歴史的な流れを押さえてそう主張していますが、その見方は、ちょうど私たちユーラシアのトルコ人やモンゴル人の伝統的な見方と一致するのです。チャイナ・シンパたちの圧力によって過剰に自粛する必要ありません。

「五胡十六国」程度に分裂する方が現実的

歴史を振り返ってみれば、中国は五胡十六国程度に分かれるのが、最も落ち着きがよいのではないでしょうか。五胡十六国時代は、五つの「胡」、すなわち北方系の遊牧民が「中華」に入って一六もの国を作って割拠していました。現在の中国に照らし合わせて見ても、それが最も現実的な姿なのではないかと思います。

例えば、五胡は中国人と異民族との混住状態でした。現在の状況も、万里の長城の北まで中国人が入っていて、新疆ウイグル自治区にも中国人や回族が住んでいる。チベット人もやはり青海省や四川省で中国人と同居しています。仮に内モンゴルが独立したとしても、中国人をすべて万里の長城の南へ追い返せというのは非現実的であり、嫌いでもやはり彼らと共存するしかない。それはすなわち五胡十六国時代の状態ということになります。そのほうが民族問題は安定すると思うのです。

独裁的な北京の中央政府という奇妙な「暴力のセンター」がなくなれば、それぞれの地域の一般の中国人は、自身が平穏に暮らす為にも、地元の民族と折り合いをつけたいはずです。二〇一三年に私が新疆へ調査に行ったとき、中国人の人にも話を聞いていますが、彼らにウイグルの現状をどう思うかと尋ねると、「いい加減に政府は高圧的な政策をやめてほしい」という人が少なからずいました。

また、「元々は他人の土地で、われわれは後から来た」という謙虚な人もいないわけではない。そうかといって、彼らが山東省、河南省に帰るかといえば、多分彼らも今さら帰れません。となると、やはり現地の人々といかに仲良くするかを模索するはずなのです。ところが、今は政府がそれをさせないようにしている。すべて中国人に従えと言って一方的に漢民族に肩入れするから、一般の漢民族も気持ちが大きくなって、先住民である少数民族との軋轢が生じるのです。

五胡十六国が無理ならば、アメリカの文明史家サミュエル・ハンチントン氏が『文明の衝突』の中で指摘するように、せめて七つぐらいに分かれたほうが、中国人の為にもなると思います。戦国時代のように、上海の人々は呉の国を作り、広東の人は香港と一緒に越の国を作る。四川省は蜀になればいい。実際そのぐらい各地の文化は違うし、無理矢理「中華民族」としてまとめるよりは現実に即しています。

そのためにはやはり、かつてモンゴル人の指導者のウラーンフーが求めていた「中華民主連邦」のように、民族ごとの連邦制を採るべきでしょう。そもそも、周知のように中国共産党はわれわれモンゴル人を含めて少数民族に対して民族自決を約束していたのですから、当然履行されてしかるべきことなのです。

モンゴル人はよく言うのですが、仮に内モンゴルが独立国になったら、五〇〇万のモンゴル人が三〇〇〇万人の中国人を統治するのは難しい話ではありません。中国人が統治されやすい民族であることは、歴史的にも証明されています。五八〇万人のモンゴル人が主体となるならば、中国人と一緒に国家建設をできる自信があります。一〇対一でも大丈夫です。もちろん選挙になれば不利かもしれませんが、そういう場合は、ニュージーランドのように先住民の権利を保証しなければなりません。その前提として、民主人権という普遍的な理念を導入しなければなりませんが、それを中国は拒否して一党独裁を続けようとするから民族問題が解決できないのです。

イスラーム勢力が中国を変える

民族自決の実現の可能性については、確かな兆候はいくつも表れています。例えば、二〇一九年末にアメリカはアフガニスタンから完全に撤兵する予定ですが、そうなるとアフガニスタンのタリバンが勢いを盛り返して、イスラームの力が増すでしょう。アフガニスタンのイスラームが強くなると、同じ民族であるパキスタンも強くなります。そうなれば、パキスタンのイスラーム戦士が天山山脈とパミール高原を超えて、続々と新疆ウイグル自治区に入るようになるでしょう。こうしてアメリカがアフガン

新疆ウイグル自治区カシュガル市内の毛沢東像の下で写真を撮るウイグル人たち。洗脳教育が強制されている

から撤退することで、新疆の状況は今以上に動くと思います。

さらに大胆に言えば、このままの様子だと近い将来、中国はおそらく南シナ海で軍事行動を起こします。そして、場合によっては東シナ海で日本と一回矛を交える可能性すらあります。そうなると中国の民族問題は、いよいよもって動きが激しくなるはずで、国際関係からますます目が離せなくなってくるのではないでしょうか。

おそらくは、イスラーム勢力はすでにウイグル問題では動いています。以前に、『ニューズウィーク』誌がタリバン兵の中にウイグル人が参加していることをスクープしましたが、これは中国が国連に働きかけて、「東トルキスタン独立運動」をテロ組織に指名したことがきっかけなのです。

私は中国の崩壊はイスラームがカギを握っていると思います。中国西北部・蘭州あたりの回族が動き始めれば、間違いなく中国は弱体化していきます。蘭州の周辺は村ごとにモスクがあるようなイスラーム色が強い地域で、住民は巡礼でサウジアラビアに行くし、イランやエジプトなどとの繋がりも強い。ここ数年、蘭州の街中でもベールをする女性が増えましたが、中国共産党がイスラーム化に歯止めがかけられなくなっている表れです。

もちろん中国共産党もそのことに気づいているから、政府系シンクタンクの役人は、とにかくウイグル人と回族が連動しないような方策づくりに躍起になっているといいます。また、最新の情報によると、新疆ウイグル自治区では今、一〇〇万人以上ものウイグル人が強制収容所に送られ、学校のウイグル語の授業も停止されて中国語で行われているといいます。

内モンゴルはまだ建前上モンゴル文学はモンゴル語で教えていますが、ウイグルでは中国語を義務付けている。それほどまでに文化的ジェノサイド政策を強化して、同化を急いでいるのです。これは彼らの危機感の表れでしょう。ここで回族が動けば、回族は人口が多いこともあって、イスラームの勢いは押さえられなくなるはずです。

ただ、前述したように歴史的に見ても、中国語を母語とする回族は肝心なところで裏切る可能性もあるので楽観はできないのですが。

大量虐殺を経験した内モンゴル自治区の現状

中国の民族問題といえば、国際的にはチベットやウイグルのことが広く知られていますが、最も早い段階で大量虐殺という災難に見舞われた内モンゴルについては、残念ながら今はほとんど語られることがありません。だからといって、このことは内モンゴルに民族問題がないということを決して意味しません。

モンゴルで発生した抵抗運動で最も大きなものは、一九八一年に内モンゴルの大学生たちが、政府が四川省などから一〇〇万人を移民させようとしたことに反対して起こした大規模なデモだと思います。そのときの主役となったのは、文化大革命中に殺された人々の子供たちでした。政府からは、親の死に関する明確な説明はまったくなく、親を失って生活基盤をなくした彼らは、苦労してようやく大学に入った世代でした。そこで聞かされたさらなる移民政策に怒りが爆発したのです。

このときは、殺戮こそありませんでしたが、非常に巧妙な形で弾圧されました。「移民は中止するので安心しなさい」と言ってデモを解散させてから、デモに参加したモ

中国人に轢き殺されたモンゴル人の家畜。中国人の暴力は留まるところを知らない

ンゴル人学生をすべて辺鄙な田舎に追放して、それ以降、一切政府の仕事には就かせませんでした。彼らはいまだに公務員になれないか、なれたとしても課長クラスのポストにすら絶対に就けません。田舎の小学校の教師が一番の出世といった具合です。あるいは、事業家としても成功させません。商売してある程度成功したら、税務調査などを入れて言い掛かりをつけて絶対に潰されてしまうのです。

一九六〇年代はエリートがほぼ全員殺され、一九八一年の学生運動も潰された。その為現在、内モンゴルでは民族運動を主導できる人材がほとんどいなくなっています。悲しいかな、一般のモンゴル人は怖くてものが言えないのが現状です。ウイグルやチベットは、そうなってからでは遅いのです。

一九八一年にわれわれが抵抗していた頃、チベット人、ウイグル人はまだ覚醒していませんでした。まだ新疆やチベットには、内モンゴルほどは中国人が大量に入植しておらず、まだ我慢できる状況だったこともあります。今、彼らは我慢できなくなりましたが、正直に言って若干「ときすでに遅し」の感も拭えません。

少数民族の中で、何ごとにおいてもモンゴルが常に先行してきました。その理由は、モンゴルが最も近代化が早く、最も近代的知識人が多かったからです。満洲国時代に国民小学校から国民高等学校、女学校、さらには興安軍官学校、南満洲医科大学、満洲建国大学、ハルピン医科大学など数多くの教育機関が作られ、モンゴル人は中国全体でみても、いち早く近代教育を受けることができました。だから、近代的な知識人が何万人と育ったわけです。

日本語、モンゴル語、ロシア語、中国語ができる。ウイグル人もエリートはロシアに留学したり、同じテュルク系民族であるオスマン・トルコの知識人が新疆へ来て学校を作ったりしましたが、育った近代的知識人は人数的にはモンゴルには及びません。

さらに近代的な知識人が少なかったのはチベットです。知識人である僧侶は大勢いましたが、残念ながら伝統的な知識人であって、サンスクリット語はできても近代化には目覚めていない。中にはインドやイギリスに留学した人もいますが、おそらく近代的な知識人は数えるほどでした。

この三民族の近代化に向かう力の差はその点にありました。中国もそれが分かっていたので、モンゴルを最初に潰しておこうと考えて、文化大革命中にモンゴルを徹底的に虐殺したのです。文化大革命中に少数民族の中でモンゴルが一番大きなダメージを受けた一因もそこにあります。

ただ、内モンゴルの民族運動の再興に関して、かすかな希望も育ちつつあります。文化大革命の大量虐殺を経験して、中国に絶望した青年らは欧米に渡り、世界のモンゴル学の中核を担うようになりました。一九八〇年代からはさらに大勢の若者が海外に拠点をうつしました。今日、日本でも一万人近いモンゴル人が学び、研究機関に就職している人も大勢います。彼らは同胞が中国に弾圧されている実態を訴え続けているので、徐々にではありますが、モンゴル問題も世界の関心を集めつつあります。

日本に無関係ではない中国の民族問題

中国の民族問題について、唯一の解決方法は、真の民族自決権を諸民族に付与するしかないと、私は思います。母語を自由に操り、その言葉を用いて言論活動を行える。その地の首長も、中国人の共産党書記ではなく、地元の少数民族でなければなりません。

中国という国家のもとで、あるいは中国人という人々とは暮らしたくなければ、分離独立をも容認する権利を、それぞれの民族に与えれば、民族問題は自然となくなるはずです。

諸民族に民族自決権を与えることで、民族問題が解決できるだけでなく、中国人自身もより幸せになれるはずです。今日、ウイグル人の抵抗運動がその故郷だけでなく、中国人の領域にも及ぶようになってきた事実を、重く受け止めるべきです。中国人は平穏な暮らしを求めるならば、他人の故郷を占拠して人口を逆転させ、あらゆる権利を独占するという植民地的な統治手法は中止すべきです。

中国人には寛容にならなければならない、という意識改革が求められていると思います。古くから華夷思想を持つ中国人大衆は、さらに中国共産党によって洗脳されてきました。中国政府も一般の中国人も、自分たちは少数民族に良いことばかりしてきたと、何の根拠もなく信じ込んでいます。

相手の文化を絶滅に追い込んで、シナに同化させることを「文明開化」だと理解し、他人の地下から出る資源を中国内に運ぶ略奪行為を「経済的な発展」だとする自己中心的な思考を放棄しなければなりません。まずは自分たちが「悪行」を行っていることを自覚することです。

しかし残念ながら、中国の「改心」は、あまり期待できないでしょう。だとするならば、世界が動かなければなりません。何より「民族問題」は「国際問題」であり、決して中国が主張するような「内政問題」ではないのです。先述したように、ウイグル人はユーラシアのテュルク系民族の一員であって、彼らは同胞たちが中国人に虐待されていることを遺憾に思って行動に移そうとしています。

チベットは有史以来、インドと同一の文明を共有してきました。内モンゴル自治区のモンゴル人も、モンゴル国のモンゴル人も、共に「チンギス・ハーンの子孫」を自任しています。いずれの民族も、中国国外に同胞たちが別の国家を形成しているので、当然ながら、モンゴル、ウイグル、チベットの民族問題は最初から国際問題でした。

日本も中国の民族問題と無関係ではありません。新疆ウイグル自治区の場合、過去にこの地にあったシルクロードを通って、中央アジアの文化が日本に伝わりました。仏教の聖地であるチベットには、多くの日本人僧侶が仏典を求めてその地を目指しました。内モンゴルは、言うまでもなく日本が創建した満洲国の一部を形成していた地域です。中国政府と中国人は、満洲国時代にモンゴル人が日本に協力したとの口実で、一九六六年からジェノサイドを発動しました。

日本は古代から近現代を通して、常にモンゴル人やウイグル人、チベット人と繋がりを持っていたわけです。彼の地の住民たちが巨悪に抑圧され、搾取されている現実を座視していてもいいのでしょうか。

そもそも中国の民族問題は、人権問題にほかなりません。人権問題に国境はありません。中国政府は今、「反テロ」との口実をもって日常的にウイグル人の村落を襲撃し、犠牲者の数は一度で一〇数人単位に上ることもあります。こうした中国の行動は、常に人道的な危機をもたらしています。

人道的危機には人類全体が対処しなければなりません。多くの日本企業が中国に進出しているとか、「日中友好」のような空疎なお題目を理由にして、日本人が少数民族が置かれている人道的な危機を看過するならば、それは一種の「共犯関係」だと言えます。中国の民族問題に対処すべく世界が動き出した時、日本だけが傍観し続けることは許されないと思います。

1　民族自決については、『スターリン・ブハーリン著作集第十四巻　支那革命論・民族問題』（白揚社、一九二八年）にまとまった議論がある。

2　現代中国を植民地支配の視点から議論した著作として、楊海英著『植民地としてのモンゴル―中国の官制ナショナリズムと革命思想』（勉誠出版、二〇一三年）があります。

第四章　ユーラシア外交が日本を救う

モンゴル人のブリヤート共和国に伝わる絵画。光を感じて受胎し、そこから生まれた人物がモンゴル人の祖先となったという神話を描いている。中国とは異なる神話体系

世界史の視点で読み解くクリミア問題

私は新疆ウイグル自治区の問題は中国が独自には解決できないであろうと思っています。その理由の一つとして、ウイグル人がテュルク系民族という大ファミリーの中の一員だという点が挙げられます。

前述したように、一八世紀末以降、タタール人によってユーラシア各地に近代改革の種が撒かれていきましたが、一九世紀後半になってオスマン帝国が弱体化してくると、テュルク系諸民族、特にオスマン・トルコの知識人たちから「ロシアと中国からの解放」という声がますます強くなります。そして二〇世紀に入ると、青年トルコ党員のような本格的な政治指導者たち大挙して中央アジアに乗り込み、一番東にあるウイグルにもやって来ました。

その後、ロシア帝国がソ連に変わってからも、社会主義の民族自決の思想のもとで、テュルク系諸民族は民族自決ないしは独立を目指して努力を続け、ソ連では不完全ながらそれが実現できました。カザフ人、キルギス人などが自治共和国を持つことができたのです。その中で、いまだにウイグル人は独自の国家を持つことが叶っていません。しかも、今日も中国国内で中国人によって弾圧され続けています。

このことは、テュルク系の同胞、特に民族主義者たちからすると放ってはおけません。今、ユーラシアでテュルク系民族の人口は七億人以上に達します。その中で、ウイグル人九〇〇万人が国家を持てないということは、やはりテュルク系民族全体の問題なのです。ゆえに亡命ウイグル人組織の本部にしてもトルコの首都イスタンブールにあり、現地には強力な支持者も多い。

そのため在テュルク中国大使も、数年前までイスタンブールに着任すると、まずウイグル人の亡命組織を訪ねて懐柔を図ることが恒例になっていました。その一方で、トルコ人はいまだに新疆に自由に行くことはできません。中国は汎テュルク主義を非常に警戒しているわけです。

そういう意味で、新疆のウイグル人の問題は、ただ単に中国の少数民族問題ではないのです。日本人はいつも東から中国を見ているので、中国の西端で起きている少数民族問題と考えてしまいがちですが、ユーラシアのテュルク系民族の視点で見れば、むしろ東の端で、我が子が中国に奪われて奴隷として鉄索に縛られているかのように見えている。ユーラシアのレベルで見れば、ウイグル問題は国際問題になるのです。そして、カザフも同様です。カザフ人も今、北京当局によって、弾圧されています。

新疆ウイグル自治区に限らず、テュルク系諸民族が住む地域で起きている紛争は、極めて世界的な問題になっています。クリミア問題はその代表例と言っていいでしょう。二〇一四年にクリミア地方がロシアに併合されました。クリミア問題が語られる場合、一般にロシアとウクライナとの対立のようにとらえられています。しかし、クリミア半島の先住民はクリミア・タタール人なのです。

あまり知られていませんが、タタール人は近代日本とも深い関係がありました。もともとタタール人は中世のモンゴル高原に暮らす遊牧民でしたが、チンギス・ハーンがモンゴル帝国を建てるとそれに統合されました。モンゴル帝国の征西に従軍して、一二三七年以降、モンゴル軍がモスクワやキエフを占領した後、その地で中央ユーラシアのテュルク系の遊牧民とモンゴル人との融合が進みました。

ヨーロッパ側はモンゴル軍を「タルタロス」と呼び、これは「地獄からの使者」を意味する言葉で、東方からの脅威にさらされていた独特の呼称です。そのタルタロスとモンゴル帝国内のタタールという部族名が一体化して、民族名として定着していったのです。

モンゴル帝国が崩壊した後、タタール人はクリミア・ハーン国などを作って、モンゴル帝国の遺領を継承しました。一方、かつてモンゴル帝国の恩恵に浴して成長したロシアは次第に力を蓄え、逆にタタール人諸国は相次いで征服されて、一八世紀末には最後まで残っていたクリミア・ハーン国も併合されてしまいます。

一九一七年にロシア革命が勃発すると、数万人ものタタール人が遠く東アジアにある満洲、さらにその一部は日本へと亡命しました。タタール人たちは、共産主義革命に抵抗していたからです。日本では一時、二〇〇〇人ほどのタタール人が東京と神戸、それに名古屋と熊本でコミュニティーを作っていました。

彼らは東京に回教寺院（ジャーミィ）を作り、そこに通いながら羊毛製品の羅紗を売り歩いて、洋服を農村部に広めることに貢献したとされます。また、在日タタール人の中で知識人たちは黒龍会などの大アジア主義団体とも交流し、日本軍が進めていた回教圏工作にも積極的に関わったのです。

さて、現在のクリミアの人口は二〇〇万人ですが、その一二パーセント、実に二十数万人ものクリミア・タタールが今現在も暮らしているのです。それほど多くのタタール人が住んでいるにも関わらず、日本のマスメディアでは、そうした観点から報道さ

草原をゆっくりと行くモンゴル国のモンゴル人。南モンゴルではないシーン

れることはほとんどありません。

クリミア・タタールは、ソ連時代にウズベキスタンなどに追放され、ソ連崩壊後にようやく故郷に帰還することができましたが、彼らからすれば、ようやく戻れたと思ったら、故郷はロシア人に乗っ取られていて、好き勝手されているということになるのです。クリミア問題がロシア人とウクライナ人の内紛という面だけで語られることは、七億人のテュルク系民族から見ると、同胞の立場がまったく無視されているようで、彼らは不満を募らせています。

ソ連時代にはある程度の民族自決に関して進捗が見られ、ソ連崩壊後はほぼ解決できましたが、今解決できていないのは、クリミアとウイグルだけ。これはテュルク系民族全体からすると、絶対に放っておけない問題なのです。オスマン帝国が崩壊してから、テュルク系民族がずっと理想としてきたロシアと中華からの解放というテーマが、改めてクローズアップされているわけであり、テュルク系知識人は絶対にタタール人同胞、ウイグル人同胞の問題を他人事として放っておけないはずです。その意味で、このユーラシア全体の民族問題として再燃する要素、準備はできていると思います。

脱亜を進めるモンゴル国の国際戦略

そうしたユーラシアの激動を目前にして、モンゴル国は文明史的な転換を図ろうとしています。二〇一二年一一月にモンゴル国は欧州安全保障協力機構（ＯＳＣＥ）に加盟しました。

日本ではアメリカとヨーロッパが中国とロシアの間に楔を打ち込む目的で今回の加盟を主導した、との報道がありましたが、これは一面的な見方です。モンゴル国は以前から「われわれはアジアではなくユーラシア国家だ」と主張していました。ＯＳＣＥ加入も国民に支持された「モンゴル流脱亜論」が背景にあったことを認識しなければなりません。今やモンゴル国の政治家の間では、ＥＵへの申請をいかに進めるべきか、との真剣な議論すら交わされているのです。

モンゴルがなぜこれほど熱心に「脱亜」的な方向へ進んでいるのかについては、OSCE加盟直前におこなわれた「チンギス・ハーン生誕八五〇周年」記念行事が、見事にその本質を物語っています。「モンゴルはチンギス・ハーンの故国」で、その誕生日を国民の休日とするとの決定を同国国会は出しました。大統領主催の華やかな生誕記念式典と国際学術シンポジウムには、中央ユーラシア各国からの賓客が数百人も立ち並び、「世界のグローバリゼーションは一三世紀のモンゴル帝国から始まった。ユーラシアの遊牧民が創り上げた文明は人類の輝かしい遺産だ」という大統領の熱のこもった演説に、観衆は数分ごとに拍手で応じていました。

モンゴル国の東部、チンギス・ハーンの生まれ故郷にたつ記念碑。モンゴル人はチンギス・ハーンを一度も忘却したことはない

実は今から五七年遡った一九六二年にも、当時のモンゴル人民共和国は「チンギス・ハーン生誕八〇〇周年」記念行事を計画していました。しかし、チンギス・ハーンを「侵略者」とみなし、モンゴルによるモスクワ征服がロシアの後進性をもたらした、と信じるソ連は式典の中止を命じたのです。チンギス・ハーン記念碑を建立した政治家は暗殺され、モンゴル国にも社会主義ソ連の価値観が強制されたのです。

皮肉なことに、当時は中ソ対立の最中だった為、隣国の中国では逆に盛大な政治的なイベントが続きました。毛沢東らは「チンギス・ハーンは中華民族の英雄だ」と持ち上げ、民間にも「われわれ中国人で、ただ一人ヨーロッパまで遠征できたのがチンギス・ハーンである」との歪んだ民族主義が流行り、定着しました。

中国によるチンギス・ハーンの称賛はソ連への反撃であると同時に、モンゴル人民共和国を自国の陣営に引き入れたい、あるいは内モンゴル自治区のモンゴル人が分離独立運動を行わないよう、事前に封じ込む為のプロパガンダでした。このとき、民族の祖先が中国に奪われたことで、モンゴル人民共和国の人々は忸怩たる思いを抱かざるを得なかったのです。

しかし今、時代は大きく転換しつつあります。ユーラシアを跨ぐモンゴル帝国が崩壊した後、その子孫たちは多くの国家に分布して住むようになりました。中国とロシ

南モンゴルのオルドス高原に建つチンギス・ハーンの祭殿。モンゴルの民族の開祖も中国に略奪されて、「中華の英雄」と改竄されている。こうした行為を見て、モンゴル人たちは「中国人は本当に恥知らずの民族だ」と話す

アだけでなく、カザフスタン共和国やキルギスタン共和国、それにアフガニスタンなどにも「チンギス・ハーンの後裔」を名乗る人々が住んでいます。

彼らもみなモンゴル高原に憧れ、生誕八五〇周年の式典に駆けつけました。中央アジアから馳せ参じた同胞たちを前にして、モンゴルの大統領は「ユーラシア諸国家の大同団結」を呼びかけました。「自然を大切にする遊牧文明の共通した価値観を再確認し、豊富な地下資源を武器にともに発展しよう」とのメッセージは、自身の歴史に強烈な誇りを抱くモンゴル国民と各国からの客人たちを鼓舞したのです。

中央ユーラシアの遊牧民たちは近代

に入ってから帝政ロシアの臣民になり、つづいて「ソヴィエト人民」とされました。モンゴル高原もロシアと中国に分割され、今やチンギス・ハーンのホームランドも小さな草原になってしまった。それでも、草原の民たるモンゴル人たちは決してアジアという小さな枠組みにとらわれずに、ユーラシア規模で国家運営と外交を展開しています。虎視眈々とする強国に挟まれた国家が生き残るためには、相応の戦略を構築しなければなりません。こうした知恵は自らの歴史と遊牧文明に源を発しているのです。

日本にいると、日米関係か日中関係についての報道が圧倒的に多く、日本にとって米中両国との関係がいかに重要なのかを常に認識せざるを得ません。しかしながら、日本も米中二国に翻弄されるばかりではなく、将来を見据えた戦略を立てる時期に差し掛かっているのではないでしょうか。

日本が向かうべきはユーラシア外交

日本でも小渕総理大臣の時代に、「ユーラシア外交」という意欲的な外交方針を打ち出しました。日本は既に一九世紀末から活発な中央アジア探検活動を推進してきました。

京都の本願寺を拠点とする「大谷探検隊」はシルクロード経由で日本に伝わった仏

教伝来の道を再確認し、豊富な学術情報を招来しました。現代では「騎馬民族征服王朝説」（一九六七年）を提唱した考古学者の江上波夫氏と梅棹忠夫氏も、かの地に足跡を残しています。このような学問上の蓄積の上に構想されたのが「ユーラシア外交」だったことは間違いありません。

日本は近隣に中国と朝鮮半島という関係の深い国がありますが、なかなか仲良くできそうにない存在でもあります。一方で、資源を中東に頼る日本にとって、モンゴルやイラン、そして中央ユーラシアのテュルク人の故郷には豊富な資源があります。また、歴史上、ロシアとチャイナに圧迫されてきた彼らはその二国が大嫌いで、さらに日露戦争でロシアを破ったことで日本に対して大いに敬意、あるいは親近感を抱いています。また、日本人とモンゴル人は互いに「自然との共生」を尊重する民族であるという点で非常によく似ています。

日本がユーラシア外交を積極的に進めさえすれば、日本の技術で現地の経済発展に寄与し、彼の地に眠る資源を日本の成長維持に役立てられるという、理想的な相互利益の関係が構築できるのです。

残念ながら、そうした国際戦略が多くの近視眼的な日本人には見えていません。「日中友好」さえ遵守すれば、中国は好意的に利益をもたらしてくれるという見方を持つ人がいる。そうではありません。中国はしたたかだから、タダでは何もしてくれない。それどころか、騙される確率のほうがずっと高いことは、われわれモンゴル人は自身の経験からよく知っています。こちらが誠意を見せてもそれに応えない、それどころかつけこもうとするのが中国人です。そんな気苦労の多い相手と嫌々付き合うよりも、ユーラシアの人々と関係を深めたほうが、国益にもかなうし精神的にも気楽だとは思いませんか。

今日の日本には、ユーラシア外交に積極的に関わろうとする政治家がいないのが残念です。安倍首相も取り組む姿勢はあるように思えますが、あまり具体的な話は聞こえてきません。

日本がいかにユーラシアのテュルク系諸国家との関係構築に遅れているかは、メディアの現状からも見て取れます。トルコ共和国やカザフスタン、キルギスタンに駐在している大手新聞や通信社の記者は、みんなロシア語しかできません。テュルク語を操れる人材がいないのです。大阪外大（現在大阪大学に合併）と東京外大には戦前からトルコ語のコースがありますが、なぜかそこから採用しません。それはソ連時代からの伝統のようで、ソ連が崩壊してから二〇年以上経つのに、まだその悪弊が変わっていないようです。

去年、ある全国紙の人と会って、ユーラシアに何人記者を置いているのか尋ねると、モスクワに数人とトルコ共和国に一人だけだそうです。カザフスタンやキルギスタンなどの国々には一人も駐在員を置いていない。これはどこの新聞社も大して変わらないのです。

取材をするにしても、カザフやキルギスには今でも多くのロシア人が住んでいます。ロシア人を前にしてロシア人に対する本音をロシア語で話すはずがありません。彼らがどのように記事を作っているかといえば、モスクワの新聞を翻訳して使っているのだという。それではまともな記事が書けるはずがありません。

テュルク語を理解できる人がいないと、現地の本当の情報は得られないのです。ちゃんとテュルク語のできる記者を現地に駐在させることも含めて、もう少し大国に相応しい国家戦略としてメディアを後押しする必要があるのではないでしょうか。

日本・モンゴル・トルコ三国同盟構想

ここ数年、ユーラシア東部のモンゴル国は遥か西のトルコ共和国と手を結んで、大陸を横断した連携を強化しようとしています。今、ウランバートルへ行くと、トルコの資本で空港と道路が作られたりしていて、キルギス、カザフ、トルコまですべて直行便がある。それを知っている人は、ウランバートル経由でカザフやキルギスへ向かうことが多くなっています。中国経由では面倒くさいし、何より不愉快だからだそうです。

また、モンゴルも豊かになりつつあるので、冬になると寒いモンゴルから暖かいビーチに行く富裕層が増えています。その際に、日本の海辺はさすがに高いし、中国の大連辺りや海南島は汚い。しかも中国は嫌いだから、出来るだけ行きたくない。そのためトルコのアナトリアが人気を集めています。

トルコで働くモンゴル人も多く、二〇一三年の冬に私がモンゴルに行った際にも、モンゴルのテレビが特集を組んで報道していましたが、今、イスタンブールには一万人以上ものモンゴル人が住んでいるのです。モンゴル人にとってトルコが親しみやすい国なのは、言葉の関係もあります。同じ言語系統で共通の語彙も多いから、会話すると比較的すぐに相手の言葉が理解できるようになる。

モンゴル人にも不勉強な人がいて、「モンゴル語とテュルク語ってすぐ通じるね」と不思議がる人もいますが、同じ系統の言葉だから似ていて当然なのです。何しろ、歴世の遊牧民はときの流れに従って同じ蒙古になったり突厥になったりしていた人々であって、トルコ人はモンゴル高原から西へ移動していったという意識も持っているのです。

ユーラシアの七億人のテュルク系の人々の中で、モンゴルとトルコの二国は一目置かれた存在でもあります。モンゴルはかつてモンゴル帝国を築いた、という歴史的権威を皆が認めています。一九一七年のロシア革命まで、ユーラシアの諸民族の王家はすべてチンギス・ハーンの血筋を継承しているという理念がありました。一方のトルコは、近代に入ってオスマン帝国が解体してから多数の知識人を輩出したこともあり、近代化の権威とみなされている。それゆえユーラシア国家による国際会議でも、モンゴルとトルコが同じテーブルに就くと、歴史的権威と近代化の先駆者ということで、みんな二国の言うことに真摯に耳を傾けるのです。

そして、この二つの国が今、手を握ろうとしています。モンゴルとトルコが主導するユーラシア世界の新たな体制は、すでに青写真が出来上がりつつあるといえます。この二国の接近は、もちろん対ロシア、対中国という国際戦略であって、当然ながらロシアと中国は常に牽制してきますが、そうした角逐の中で今日のユーラシアは動いているのです。

日朝交渉再開に際してもモンゴルが活躍するなど、両国の存在感はますます大きくなっています。日本は早くそのことに気がつかないと、ユーラシア外交において取り残されてしまうでしょう。私からすると、トルコもモンゴルも代表的な親日国だし、日蒙土で新しいユーラシアの枢軸を築ければ素晴らしいことだと思うのですが。

東方最大のイスラーム勢力「回族」の将来

中国政府が規定した国内の五六民族の一つに回族があります。歴史的にシナではムスリムたちを「回民」などと呼称してきましたが、中でも回族は漢人でありながら、ムスリムでもあるという人々で、中央アジアからやってきたイスラームを信仰する人々が中国人などと通婚を重ねてできた民族です。最も古いグループはその祖先を唐宋時代に中華に貿易で来たアラブ人の商人に求めますが、大半は一三世紀のモンゴル帝国時代に今日の中央ユーラシア各地から元朝に移り住んだ人々の後裔です

ウイグル人の民族自決にとって、回族は諸刃の剣かもしれません。回族はいわばイスラームと中華のハイブリッドのような存在です。中華との繋がりも非常に強く、ウイグル人より中華への依存度が高いのは事実です。しかし、一方ではその血統の半分は中央アジアに由来しているという意識と、何よりイスラームを信仰しているので中国人とは異なると固く思っています。

回族がモンゴル人やウイグル人、チベット人といった他の少数民族と異なるのは、

彼らにはホームランドがないということです。モンゴル人ならモンゴル高原、ウイグル人なら東トルキスタンといったように、先祖代々の住んできたと言える土地がありのます。ところが、回族は中央アジアからやってきて歴史が浅いので、ホームランドに相当する土地がないのです。

近代に入ると、ホームランドが国民国家の固有の領土と同じ意味を持つようになります。独自の国家を造ろうと思うと、ホームランドがないと成り立たちません。ゆえに父祖代々の故郷を持たず、中国人と同じ言葉を話す回族は、中国人と共生する道を選択せざるを得ませんでした。

現在、中国の北西部に寧夏回族自治区があるほか青海省や甘粛省が回族の故郷になってはいますが、そのようになったのはまだ歴史が浅く、清朝末期の一八六〇年代以降のことです。それまで回族はいろいろな地域に分布していました。

清朝末期、キリスト教徒による太平天国の乱などで清朝が揺らぐと、抑圧されていた回族も各地で反乱を起こします。「回民蜂起」のきっかけは小さな諍いでした。陝西省の西安近郊の回民と中国人が混住する村があり、中国人が豚肉を食べない回民をからかって、豚肉を回民が使う井戸に放り込んだのです。当然、回民は激怒してその中国人を刺殺してしまった。そこから中国人との殺し合いが始まり、次第に反乱となって燎原の火のごとく全国に広まっていったのです。

清朝はこの反乱を鎮圧する為に兵を差し向け、回民は最終的には現在の寧夏回族自治区周辺に追い込まれました。そして、清朝は彼らをこの不毛の地を与えることで、反乱を収めることに成功しました。回民は清朝に反乱したことによって初めて、歴史的に安住の地を獲得することになったのです。ただ、彼らにとって父祖の地ではないゆえに、辛亥革命が勃発しても独立を主張することはできませんでした。

実は、われわれモンゴル人は彼らには痛い目にあっています。辛亥革命によって清朝が崩壊すると、一九一一年にモンゴルは独立を宣言して外モンゴルにボグト・ハーン政権が樹立され、内モンゴルも新国家に合流しようとしました。さらに独立指導者の一人、ワンダンニマはモンゴル人だけで中華民国から独立するのではなく、内モンゴルに隣接する寧夏のムスリムを巻き込もうという「モンゴル・ムスリムの連携構想」を持っていました。

寧夏のムスリムの中には元朝時代のモンゴル人の末裔もいて、そうした回民とモンゴルの歴史的関係に期待したワンダンニマは、寧夏を支配する回民軍閥の馬福祥に共闘を持ちかけたのです。ところが、彼らは同調するそぶりを見せながら裏切り、謀略によってワンダンニマらモンゴルの指導者たちを逮捕して、中華民国の北京政府に引き渡してしまいました。

モンゴル同様、ウイグル人やチベット人も回民に独立を阻止されています。一九一三年にダライ・ラマ一四世がチベットの独立を宣言したときに阻止したのは、やはり青海省にいる回民でした。新疆で反乱を起こした回民軍閥の馬仲英も、当初はウイグル人と一緒に戦っていたけれど、中華民国に寝返って東トルキスタン共和国を攻撃しました（楊海英著『モンゴルとイスラーム的中国』文藝春秋学藝ライブラリー）。

過去の苦い記憶もあって、モンゴル、ウイグル、チベットの各民族の感情からすれば、同じ少数民族といえども信頼を置けない存在であることは間違いありません。ただ、彼らはホームランドを持たないがゆえに、最終的には中華の枠の中で中国人と共存し、より高度な自治を与えられて暮らすしかない。彼らは中国人以上に中国人の国家に忠誠を示さない限り、しかるべき政治的な地位が得られないので、他の少数民族の分離独立を封殺するのに懸命になったのだと思います。

しかしながら、同じマイノリティを鎮圧してまで忠誠を尽くしたにもかかわらず、現在でも回族という名称以上に何ら実権を獲得できていません。そこに回族の悲劇があるといえるのではないでしょうか。

ただ、近現代史の回民はそうでしたが、今後は状況が変化してくることも十分に考えられます。国際的にイスラームがどう動くかがカギになってくるでしょう。

清朝を崩壊へと導いたのは、実は「回民蜂起」が最大の要因です。清朝はアヘン戦争や清仏戦争、さらには日清戦争などで、西欧列強および日本に領土や権益を奪われてはいましたが、どの国も清朝を滅ぼしたいとは考えてはいませんでした。むしろ、改革を進めて近代国家に脱皮してほしいと思っていました。今の中国はまったく無視していますが、例えば日本人の伊藤博文も非常に熱心に清朝の改革に参画していたのです。

しかし、十数年にわたって回民の叛乱は続き、なんとか押し込めることはできたものの、その鎮圧のため多大な出費を強いられ国力は疲弊してしまいました。しかも、気が付くと清朝の北西部にムスリムの一大根拠地が出来上がってしまったわけです。回民蜂起軍が強かったのは、中国のムスリムの大半がイスラーム神秘主義(スーフィ教団)であったことも挙げられます。彼らはイスラームの各派から異端視されることも多く、そうしたことから信者の団結力が極めて強かった。そして、その他の中国のムスリムはイスラーム原理主義です。回民も当然、聖地メッカに巡礼に出かけます。そして行けばそのつど最新の原理主義に触れることになる。

歴史的に、聖地メッカ周辺で巡礼者が獲得した理論が中国に伝えられる度に、「新

新疆ウイグル自治区のカシュガル市内のウイグル人の民家は、中国政府によって破壊されている。かつて、この地には西方からの民族自決の思想が伝わっていた

学」や「新教」と呼ばれて、ムスリム社会の改革運動を引き起こしてきました。そして「旧学」や「旧教」のみを認知する政府と武力衝突が繰り広げられてきたのです。一九世紀後半の回民蜂起もその流れの上にあり、およそ一〇年間も続いた叛乱はついに大清帝国を弱体化させ、崩壊に導いたのです。

中国のムスリムたちが西方を自らの故郷と見なし、強烈な憧憬を抱いていることは現代も変わりはありません。聖地メッカを目指して毎年数万人もの巡礼者が出かけ、イスラームの教理や経典を学び直そうと、エジプトやイエメンなどの名門大学に数千人単位で留学しています。巡礼も留学も中国政府のコントロールを受けてはいるものの、聖なる故地で何が起こり、これから自分たちがいかなる方向へ向かうべきかという指針的な理論を、現地経験者たちは確実に中国へと持ち帰ってきています。

今の中国は、かつての清朝以上に厳しい一党独裁体制を国民に強制し、宗教信仰の自由を奪っているのは周知の事実です。聖なる西方の変化を常に正統と見なす東方イスラーム社会の動向は、中国の命運を左右するに違いありません。二〇一〇年に始まったアフリカや中東の「ジャスミン革命」のように、独裁に反対し、民主化を求める同じようなムスリムたちの動きが、いつ中国でも起きてもおかしくないのです。

回族が動き出せば、中国も清朝のように弱体化する可能性は大きいと思います。そしてそれは、モンゴルやチベットの民族自決運動が成就するよりも、将来的にははるかに現実味があるのではないでしょうか。もちろんハイブリッドゆえに、ウイグル人ほど徹底した抵抗運動はできませんが、中華を弱体化させる潜在力を最も秘めているのが回族であることは容易に想像がつきます。なぜなら回族の人口は一〇〇〇万人に達し、五五の少数民族の中で最大を誇るからです。

回族の暮らす中国西北部は、新疆ウイグル自治区と比較すれば一見平穏ですが、イスラームと中華が決して相容れないことは、その争いの歴史が証明しています。甘粛省などのモスクに入って回族の人々と少し話をしただけでも、必ずと言っていいほど中国人に対する不満、恨みを口にします。ムスリムにとって豚を口にすることは最大のタブーですが、中国人はそうした気配りにまったく欠けているので、今日でも清朝時代のように豚肉一切れが大衝突に発展する危険を常にはらんでいるのです。

彼らが西北部に安住の地を得てから約一二〇年経ちました。もし、次に彼らが反乱を起こすとすれば、おそらくはそこを「ホームランド」として独立を目指すのではないでしょうか。

第五章　日本が内モンゴルと同じ轍を踏まないために

モンゴル人の草原を占領して、弾圧活動を進める中国政府の武装警察。日本はしっかりした対応策を取らないと、いつかはモンゴル人の轍を踏むことになる危険性もある

対中ODAは少数民族抑圧への加担

「中国は異質な存在である」とあえて言うまでもなく、日本と同質の価値観や精神構造を有していると考える日本人は、いまやほとんどいないと思います。それでも、隣に中国という存在が存続している以上、日本人はかの国との付き合い方を常に工夫しなければなりません。

一九七二年の国交正常化以降、日本は中国の発展に絶えず貢献してきました。そのわかりやすい一例として、対中国の政府開発援助（ODA）が挙げられます。しかし、中国は日本の善意を、日本が希望する形で活用してきたのでしょうか。中国で長らく学術調査を行ってきた私の経験に基づけば、答えはノーと言わざるを得ません。

内モンゴル自治区西部、「鉄鋼の街」と称される包頭市の西にオルドス高原があります。この地には、先の大戦中に日本軍が徳王（デムチュクドンロブ）麾下の「モンゴル連盟自治政府」軍とともに「包頭作戦」を実施した歴史があります。「モンゴル連盟自治政府」は、日本軍の力を借りながらモンゴル人の民族自決を実現させようとして、中国からの分離独立ないしは高度な自治の獲得を目指す政権でした（楊海英著『最後の馬賊──「帝国」の将軍・李守信』講談社）。

包頭市から西へ黄河を渡ると、オルドス高原の沙漠が連綿と広がっています。日本政府は一九七二年の国交回復の直後から、この地の沙漠を緑に変えようとODAを続けてきました。鳥取大学の故・遠山正瑛教授らが毎年のように有志を率いて植林活動を行ってきました。

しかし、内モンゴル自治区に入ってきた中国人たちは、植林する日本人たちにまったく感謝しないどころか、「日本人は下心があって活動しているに過ぎない」と見て警戒を緩めません。彼らの言う「下心」とは、植林活動のメンバーにかつて包頭作戦に関わった日本人もいて、黄河沿いで戦死した戦友を弔っていた行為を指しています。

戦死者は「侵略者」であり、それを弔うことは「植林を口実に侵略戦争を正当化しようとしている」という発想です。戦友が眠る故地に木を植え、沙漠化を阻止して平和を祈念しようという日本人の精神性は、中国人にはまったく理解できないのです。オルドス高原だけでなく、旧満洲各地でも、日本人による慰霊活動を中国政府はあの

モンゴル国の草原。南モンゴルでは草原も中国に破壊されて、沙漠と化してしまった

手この手で阻止しています。

もちろん、モンゴル人たちは「人間は亡くなると仏になる」と信じ、日本人の死生観に通じる見方を有していて、その点は中国人と対照的です。

オルドス高原での植林が続けば、日本にとっては黄沙飛来を防ぐというメリットはあるかもしれませんが、中国人の悪意を持って日本を見る視線はそう簡単には変わりません。というのも、中国政府が意識的にアナウンスしないため、現地ではモンゴル人も中国人も、黄沙拡散防止の活動に日本からのODAが使われている事実をほとんど知らないのです。対中ODAが日中関係の改善を目的とするならば、その実施は「反日教育」の中止を前提にする必要があると思います。

もう一つ、青海省の事例があります。

「世界の屋根」の貯水池として知られる青海湖のほとりに、海北チベット族自治州があります。この海北チベット自治州の金銀灘という草原にも、日本政府からのＯＤＡが投入されてきました。

例えば、少し古いデータですが、二〇〇三年には「水利条件と民生環境の改善」を目的として、八三三万円の無償援助金が投じられたといいます。ちなみに、この地はモンゴル語でチャガン・ゴール（白い河）と呼ばれます。もともとモンゴル語など少数民族の言語による古い地名があったにもかかわらず、あとから侵略してきた中国人たちは少数民族の言葉通りに発音できず、というよりも最初から発音する気もなかったので、新しく中国語の地名がつけられた場所が現在の中国にはたくさんあります。

中国人たちは政府機関や報道機関にも多数を占めていることから、悔しいかな中国語の地名のほうが知られるようになってくる。そのためか、この地域は日本でも金銀灘という名前で報道されています。

実は、金銀灘には中国初の原子爆弾開発研究所が一九九二年まで置かれていました。町には現在も「中国原子城」というモニュメントがそびえ立ち、「原爆の町」であった事実を示しています。この場所で作られた原子爆弾が新疆ウイグル自治区に持ち込まれ、爆発実験が行われました。

問題なのは、「原爆の町」は無人の大地に建設されたのではないということです。チベット人とモンゴル人の遊牧民たちが、古くから生活してきた地に作られたのです。一九五八年秋のある晩に、人民解放軍が突然やってきて遊牧民に牧場を引き渡すよう迫り、人々は着の身着のままで強制移住させられました。数日だけでも延期するよう懇願した遊牧民は、容赦なくその場で射殺されたといいます。このように、中国の国威発揚のために進められた原子爆弾開発の裏には、チベット人とモンゴル人の血と涙に染まった歴史が隠されているのです。

原子爆弾開発研究所が閉鎖された後に、遊牧民たちは少しずつ故郷に戻ってきましたが、そこはもはやかつての美しい田園ではなく、放射能に汚染された土地に変わり果てていました。三本の角が生えた羊が生まれているとか、顎から歯が突き出た牛がいるとか、白血病に苦しむ人が多いといった話を、私は現地の人から多数聞きました。これらの現象に対して、中国政府は何ら有効な措置を講じていません。日本政府からのODAはチベット人とモンゴル人が必要とする「水利条件の改善」に使われていなかったという事実を、私は現地で確認しています。

モンゴル国の遊牧民の屯営地。南モンゴルではモンゴル人たちを強制的に定住させて、「文明化」したと喧伝している

また、この地でもチベット人やモンゴル人は日本のODAについて何も知らされていませんが、驚くことに海北チベット自治州の支配者たる中国人の共産党幹部ですら、彼らの予算に日本からの無償援助金が含まれている事実を知らないのです。

二〇一一年五月には内モンゴル自治区で一九八一年以来といわれる大規模デモが発生しました。かつて「中国随一」と謳われた肥沃な草原が地下資源の無秩序な開発で沙漠と化す一方で、先住民であるモンゴル人に何ら利益はもたらされず、それればかりか彼らの生活基盤が根底から破壊されたことに対する怒りが爆発したのです。

沙漠化を防ぐために活用してほしいと資金を供出した日本の善意が、ほとんど顧みられていない実態が明らかになりチベット高原では原爆開発にともなって移住してきた中国人が、人口ではるかにチベット人を凌駕するようになってしまった。対中ODAが結果的に中国による少数民族抑圧に加担する性質を帯びている以上、援助の中止こそ民主主義の採るべき道でしょう。

もし、中国が本当にODAを沙漠の緑化や放射能による環境汚染対策に使うので、今後もODAを続けて欲しいと懇請するならば、最低でもきちんとしたチェック体制を作り、日本人と日本政府からの善意の表れであることを、現地の人々に広く伝えることは絶対条件です。さもなければ、世界第二の経済大国になった中国は自らが作った負の遺産、すなわち環境破壊とそれにともなう少数民族抑圧問題を、自分たちの責任と財力で解決するのが筋というものです。

尖閣諸島を「核心的利益圏」と主張する中国

東京都の石原慎太郎元知事が、日本の固有の領土である尖閣諸島を都が購入すると宣言したことに慌てた当時の民主党政権は、尖閣諸島の国有化を二〇一二年九月一一日に閣議決定しました。尖閣諸島の主権が日本にある以上、何の問題もない措置ですが、それに対して北京の政客や軍人たちはすぐさま、「漁政」の文字が塗られた粗末な船を、それまで以上に頻繁に日本側領海に出没させるよう対策を取りました。さらに二〇一三年一一月には、尖閣諸島上空を含む空域を、一方的に自国の防空識別圏に設定するなど強硬姿勢を強めています。

また、南シナ海では中国とフィリピン、それにベトナムがスプラトリー諸島（南沙諸島）を巡って対峙し、一触即発の状態が続いています。このような現代の「海洋上のコンフリクト」を、ユーラシア大陸で中国が進めてきた中華流新植民地支配の建立過程と比べると、その根深さと本質が見えてきます。

尖閣諸島からもさほど遠くない、東シナ海のガス田「樫（かし）」で、中国は一〇年前から単独で開発を強引に続けています。こうした独断的な資源略奪の現象は、私には内モンゴル自治区など少数民族地域における中国の行動と重なって見えます。

モンゴル人の私は、幼いころから草原に住んでいました。一九六〇年代初頭の内モンゴル自治区は牧野が果てしなく広がり、ヒツジやウマが放たれたのどかな土地でした。十数キロ離れた場所に、植民してきた中国人が数家族住んでいましたが、彼らはいつもモンゴル人とまったく異なる行動を取っていたのが印象に残っています。

例えば、燃料です。モンゴル人は主に乾燥した牛糞を燃やし、冬になればわずかに枯れた灌木類を拾うこともあります。しかし、中国人たちは季節と関係なく、手当たり次第に灌木を切っていくのです。しかも、必ずと言っていいほどモンゴル人の居住地域内に入り込んで伐採する。このような「小さな利益」を貪る中国人たちを、モンゴル人は寛容に放置していましたが、ふと気がつけば、自分たちの草原内にところどころ沙漠ができていました。

降雨量の少ない北・中央アジアでは、植皮を失った草原はたちまち沙漠と化してしまうので、モンゴル人は大地に鋤や鍬を入れる行為を忌み嫌います。そのため、モンゴル人は中国人を「草原に疱瘡をもたらす植民者」、「地球を食いつぶす集団」と呼んできました。

私の経験は決して個別の事例ではありません。いつの間にか、内モンゴル自治区では先住民のモンゴル人の人口がたったの五八〇万人にとどまり、あとから入植してきた中国人は三〇〇〇万人にも膨れ上がり、その地位の逆転が完全に確立してしまいました。ウイグル人が住む新疆と、チベット人が暮らす地域においても、中国人による植民地開拓のプロセスは基本的に同じです。いざ、人民解放軍が怒濤のように侵攻してきたときに、そこでは既に無数の中国人植民者たちが内応に励んでいたのです。

中国に一方的に採掘されているガス田の「樫」は、日中中間線上に位置します。つまり、「ストロー吸引現象」によって、日本側の海底地下に眠る資源も当然、吸い上げられています。中国の少数民族の政治的変遷を研究している私からすれば、わざわざモンゴル人の草原内に侵入して灌木を切り倒す植民者たちの活動と、その性質が共通する気がしてなりません。

善良な日本人は「ストロー吸引」を「小さな利益」だ、とかつての純朴なモンゴル人のように気前よく理解しているかもしれませんが、「大人(たいじん)」の中国は今や尖閣諸島周辺を自国の「核心的な利益」だと位置づけています。中国は「核心的な利益圏」という表現は、今まで主としてチベットや新疆ウイグル自治区、それに南シナ海といった、自国の優位が確立した地域について適応してきました。いよいよ尖閣諸島に対しても適応したことは何を意味するのか。

二章でも触れたように、東シナ海における中国の情報戦、人的浸食はすでに始まっています。現状が放置され続ければ、尖閣諸島や沖縄周辺も住民の人口と政治力の逆転が生じる危険性も決してないとは言えません。私は中国の植民地に転落した内モンゴルの轍を踏まない為にも、日本人は真剣に考えなければならない時期に来ていると思います。まずは東シナ海および沖縄に関して毅然とした態度を示すと同時に、中国の暴虐に対する国際世論を形成していくことが重要と思われます。

目下、憲法改正と集団的自衛権について、国論が二分しているように見えます。自衛権のない国家は去勢された男のような存在です。自衛権を集団として擁するか、個別に駆使するかは、他国にとやかく言われる筋合いはありません。日本はまず憲法を改正してアメリカと、つづいてロシアなどとも集団的な自衛権を結ぶ戦略を立てるべきだと思います。そのように考える理由は以下の通りです。

中国よりロシアを選択すべき戦略的外交

日本において、先の大戦中に日ソ中立条約を一方的に破棄し、北方領土の不法占領を続けているロシアは、あまりいいイメージを持たれていないかもしれません。ただ、今後の対中外交戦略を考えるにあたって、ロシアとの関係も一つのカギになってくるのではないでしょうか。

二〇〇一年に上海協力機構（ＳＣＯ）を中心的立場で設立するなど、このところの中国とロシアは一見、蜜月であるかのように振る舞っています。しかし、私には非常にぎこちなく、無理をして親密さを装っているように見えて仕方ありません。実際、歴史的に中国人が最も嫌いなのは、日本人でもアメリカ人でもなくロシア人なのです。

中国人はロシアを「北極グマ」という蔑称で呼ぶことがありますが、清朝時代に北方から現れたロシアによって、さんざんに侵略されたとの思いが強く、ネットなどでは「今の日本は害にならない。本当の脅威はロシアだ」といった知識人の意見を、常に目にすることができます。ロシアはロシアで、われわれモンゴル人と同じように、中国人を狡猾で陰謀的な民族だと見ています。国民レベルでお互いに不信感を持っているので、真の信頼関係を築くことはできないと思います。

また、ロシアは対中関係で喫緊の問題を抱えています。極東シベリア地域に住むロシア人は自然環境が厳しいこともあり、ソ連崩壊後はヨーロッパロシアに回帰する人が年々増えてシベリアの空洞化が進みました。そこに中国人がドッと入ってきて、すでに一五〇〇万人ほどの中国人が極東シベリアで暮らしています。現在も不法入国者は後を絶たず、シベリアにおける中国人の影響力は飛躍的に増しています。

そして国境を挟んだ東北三省には、まだ一億人が控えているのです。将来、中国の膨張策が北にも及んで、この一億人の中国人がなだれ込んでくることを、ロシアは深刻な脅威と考えています。これまでも中国が移民を使ってモンゴルやウイグルを飲み込んできたことを考えれば、それは非現実的なことではありません。

実際に、今のところ中国は領土問題を封印していますが、虎視眈々とシベリアへの侵略的拡張の機会をうかがっています。一九九七年から始まった、「東北工程」という社会科学院による中国東北部の歴史研究プロジェクトがあります。この研究の高句麗の扱いを巡って、中国が韓国と論争になったことは日本でも報道されましたが、実はロシアが関連する研究結果も発表されています。

すなわち、サハリンも含めて沿海州地域はもともと清の領土であるということです。ネルチンスク条約以降、ロシアと結ばれた数々の不平等条約によって強奪されたものであり、いつかは回収しなければならない領土であると知識人が強硬論を説いている記事もよく目にします。

また、両国の関係には少数民族問題も絡んできます。ロシアにとってもモンゴル人の問題は他人事ではありません。なぜなら現在のロシア連邦内には、モンゴル人が住むブリヤート共和国があるからです。できるならば、

ベトナムの反米闘争を支援しよう、と呼びかける中国のポスター。かつてはベトナムを支援していた中国が、今やスプラトリー（南沙諸島）を自国領と主張して、威圧的な行動に出て、世界の脅威となっている

ブリヤート共和国の人々もモンゴル国、内モンゴルと一緒になって、モンゴル人だけで一つの国家を作りたいという思いが昔から強く、その民族感情にいつ火がつくかということに関して、ロシア人は神経を尖らせています。中国の内モンゴル自治区における民族抑圧の問題が、汎モンゴル主義に火をつけるのではないかという危惧がある。露中関係は領土問題と民族問題を媒介して微妙なバランスを保っているのが現状です。

モンゴル人あるいは国家としてのモンゴル国は、心情的には親ロ反中です。社会主義国家のソ連に問題はあったと考えていても、モンゴル人は個々のロシア人自体は好意的にとらえています。反対に、中国は国も個人も大嫌い。ロシア人は素朴ですが、中国人は笑顔を見せる裏で何を考えているかわからないというのが、モンゴル人の印象です。

世界第二の経済大国になり、軍事力も増強を続ける中国は、中央ユーラシアにおけるプレゼンスを高めていますが、モンゴル人に限らず中央ユーラシアの国々は最終的にはロシアとの関係を選ぶと思います。どの国も中国という国家以前に、まず中国人と合わないのです。

安倍首相も中露関係の実態をわかっているから、ロシアとの関係を強めて中国の膨張を抑えようと考えていると思いますし、私は大いに賛同します。歴史的に見ると、一八五三年のペリーの「黒船来航」とほぼ時を同じくして、プチャーチンが静岡の下田にやって来て「日露和親条約」を締結しています。

つまり、明治維新後の近代化が始まるにあたって、日本はロシアとアメリカに同時に出会っていて、近代国家に成長する過程で数多くの西欧文明をロシアを通じて受け入れているのです。日本の知識人に伝統的にロシア・シンパ、あるいはソ連シンパが多いのもその影響かもしれません。

また、少し前までの日本人は皆、ドストエフスキーやトルストイ、チェーホフといったロシア文学を好んで読んだし、クラシック音楽のチャイコフスキーやバレエも大好きなど、ロシア文化は一般大衆にも浸透しています。

近代に入ってロシアから学んだものは少なくなく、今でもモンゴル研究において、日本語に訳されたロシア人の研究書は必読です。中央アジアに関しても同様で、ようやくここ数年で、アメリカ人などの研究も発表されていますが、それまではロシア人が書いたものばかりでした。近代日本が発展した裏側にある、ロシアの存在は無視できません。

一方で、日本は古代においては漢字、漢籍、漢詩と導入して自国の文化に消化して発展させたけれど、近代に入ってから中国から学んだものは一つもありません。人類は先へ進まなければならないのだから、近代化というコンテクストで考えるならば、日本もユーラシアの人々と同じようにロシアを選択するべきだと思います。

モンゴル国がロシアや中国と渡り合うために、ユーラシア外交を展開してトルコとの関係を強化していることは前述しましたが、それだけにとどまらず、国際社会の中で意欲的な外交活動を進めています。欧州安全保障協力機構（ＯＳＣＥ）への加盟のほか、アメリカとの協力関係も強めていることもその一環です。

日本ではほとんど報道されませんが、モンゴル軍とアメリカ軍が合同主催する「ハーン探索」(khan quest)と名付けられた軍事演習が、毎年ウランバートル近郊で行われています。「ハーン探索」は二〇〇三年からモンゴル国とアメリカとの二国間で小規模な軍事演習としてスタートしましたが、年々規模を拡大して、二〇〇六年からは多国軍合同演習へと形を変えています。

例年、日本をはじめ欧州やアジアから多くの国が参加し、テュルク共和国などはオブザーバーとして武官を参加させています。興味深いのはロシアと中国もオブザーバー参加していることで、ロシアとは別個に二国間軍事演習も行っています。

モンゴル国はアメリカ主導の国連アフガニスタン平和維持軍にも、少数ながら真っ先に兵士を派遣しています。国連の平和維持活動に積極的に関与することにより、欧米諸国から多額の援助を引き出すことで国家経済が潤いましたが、それだけではありません。「チンギス・ハーンの娘婿が戦死した地に平和を取り戻そう」と国民の強い支持も集めました。

一三世紀に世界帝国を創出したという歴史観を抱く国民は、ユーラシアへの思い入れが格段に強く、自分たちなりに世界平和に貢献しようとする理念も共有されているのだと思います。

また、モンゴル国は日本との連携も強く望んでいます。モンゴル人は中国人と違って下心がないので、日本人は信頼がおけると考えています。また、自然を尊び、あらゆるものに命が宿っていると考えるアニミズムの精神、あるいは人が亡くなれば仏になるという仏教の精神を持っていますから、この点もモンゴル人と共通しています。

そして、欧米以外で近代化に最も成功したのは日本であることは万人が認めるところです。しかも、日本は近代化しながら伝統的なものを残しています。例えば、高層建築の間に増上寺や浅草寺、その他たくさんの寺社があるのは日本人にとっては当たり前の風景ですが、日本に来た中国人はビックリします。

この点で、中国は新しいことをする場合に、前のものを全て否定しようとする特徴があります。歴史的には王朝が交代する度に、古いものを全部壊して一から作り直そうとしてきました。だから北京や上海に行っても、古い建物がほとんど残ってないのです。現代でも文化大革命のように、封建的だと決めつけると全部破壊し、燃やしてしまう。

一九九〇年代から北京で大開発が始まったとき、残存する数少ない明代や清代の建物を平気でブルドーザーで潰して、新しい建物を作っていました。だから、歴史は長くても残っている文化財の層は極めて薄い中国です。このような民族性もモンゴル人とは合いません。モンゴルは古い伝統文化を残しながら近代国家に脱皮したいと考えているので、日本の姿が参考になるのです。

反対に、日本にとってもモンゴル国の多面的な外交展開は、「日中友好」のスローガンに束縛された対中外交から脱するための、一つの指針となるのではないでしょうか。対中国戦略としては、歴史的に見てもまずは朝鮮半島との関係が上がりますが、朴槿恵元大統領が中国追従に舵を切った後の状況では、多くを望めそうにはありません。できれば韓国とは仲良くできたほうがいいので切り崩したいところですが、北朝鮮との統一といった事態が起こらない限り、政治経済における総体的なパワーは小さいので心配はいらないでしょう。

それよりも日本の場合、まずは対米関係の安定、強化が最優先であることは言うまでもありませんが、次にロシア、そして中央ユーラシアです。ロシアとの連携は一気に外交関係が広がる可能性を秘めています。日本とロシアが蜜月になれば、ロシアとの結びつきが強いユーラシア側から積極的にアプローチしてくることになると思います。そして日本とユーラシアが緊密になれば、ロシアもより日本を重視するようになるのです。

一見、日本とユーラシアの国々とは利害関係も薄く、縁遠い存在であるかのようにみえますが、ユーラシアはロシアとは不可分な関係にあり、ユーラシアの人々はロシアが嫌いでもロシア人は好きという、個人レベルのミクロな関係性を理解しなければなりません。

先述した日蒙土のトライアングルに、中央ユーラシア各国およびロシアまで加われば、中国の反日政策による揺さぶりに動じることなく、むしろ逆に中国に対して圧力をかけることも可能になるのではないでしょうか。

第六章　独裁者習近平の外交と日本

内モンゴルで売っている中国人指導者たちの肖像画。モンゴル人はこういうポスターを見ただけで気分が悪くなるが、中国人たちは喜んで家の中に飾る

紅衛兵からの挑戦と無策な日本

紅衛兵出身の習近平中国国家主席は二〇一四年三月二八日からドイツを訪問し、ベルリン市内で講演を披露しました。日中戦争中に旧日本軍が南京を占領した事件を取り上げ、「三〇万人以上が虐殺された」と述べ、さらに、「日本帝国主義による侵略戦争で中国人に三五〇〇万人以上の死傷者が出た」という数字を例示して「歴史を反省しない日本」に強烈な批判を浴びせました。

さすがに「造反して立ち上がり、世界秩序を打破しようとした紅衛兵」らしく、その立場は鮮明で、発する言葉も辛辣だった。講演の舞台としてドイツを選んだ点と、真偽はともかく、具体的な数字を示しての「マルクス流実証手法」に日本の論壇は未だに有効な応戦を用意できていないように私には見えました。

もうひとつ。対日強硬論一色で固められた中国も、同年四月二四日には東京都の舛添元知事を北京に招待しました。また、五月五日には日中友好議連の訪中団を受け入れ、自民党議員だけでなく、公明党議員や民主党議員らと北京当局要人との個別会談も行われました。昨今すっかり死語になっていた「中日友好」の常套句を汪洋副首相らも使ってみせ、宴会の雰囲気を和ませてみせました。

ほかの出来事も日中間の交流に陰を落としています。二〇一三年は日本のマスメディアと論壇でもしばしば登場していた東洋学園大学の朱建栄教授が約半年間、その後は神戸大学の王柯教授が二週間、それぞれ中国で拘禁された事実は重い。二人は「親中国的発言が多い」と見られがちだが、それでも強権発動の対象となった衝撃は大きいでしょう。そして、二〇一九年九月には北海道大学の教授もスパイ容疑で逮捕されました。

以上で示したように、強硬路線を突き進む習近平政権の外交政策内の対日批判をどのように理解すべきでしょうか。歴史認識論を武器に日本叩きを強める習近平政権の外交政策の根底には、彼らの人生観の根幹を成す「文化大革命正統史観」が背景にある、と私は見ています。

教科書的「歴史」の裏も重要

中国からの批判に、日本人のシノロジストたちは、「フィールドとしての中国の喪失」を畏れて、すでに発言を控えて長くなります（楊海英『植民地支配と大量虐殺、そして文化的ジェノサイド―中国の民族問題を研究する新視点』岩波書店『思想』二〇一二年八月号）。

さらに遡って考えますと、一世代前の「古参の中国研究者」たちは痛烈な自己反省をも込めて、無原則に社会主義それも中国文化大革命を称賛していた過去とも関係があるでしょう。称賛してまで反省してきたにも関わらず、中国からの「ご寛恕」が得られなかったことで、失望を禁じ得ないでいるのではないでしょうか。

私は内モンゴル出身のモンゴル人です。二〇歳前後までは中国において「帝国主義と封建社会の圧政から人民を解放した偉大な共産党の歴史」を学びました。幼少時には、習近平の同志である紅衛兵たちの暴力を目撃したこともあるし、彼らの行動と思考についても、常に近くから考察してきました。三〇年前に日本に来てからは、民主主義の多様な歴史観に日々、接してきました。私自身もモンゴルなどの諸民族と中華との交流史について、実地調査に基づいた研究を続けてきました。以下では一モンゴル人研究者として、日本が如何に紅衛兵から突き付けられた歴史論争に応じるべきかについての、試論であります。

中国に対して、「歴史に弱い日本」の精神的な土壌ができた遠因は、戦後日本の歴史教育にある、と私は考えています。仕事柄、大学生を毎年のように募集する仕事に携わり、必ず中高の歴史教科書を捲らなければならない。美しいカラーの頁が多く、分量も多い日本の教科書の中味は意外と偏っている、と言わざるを得ない。

現代中国については、ひたすらその「発展」ぶりを羅列しただけで、時系列的な変化の裏で、どのような人間的なドラマを中国人たちが暮らしのなかで織りなしてきたかについては触れていません。隣人の生きた現代生活史が伝わってこない無味乾燥な歴史教育となっています。このような歴史教育を受けて育った日本の知識人と政治家たちは当然、日ごとに増してくる中国の指導者たちの対日批判に対しても、無策でいるのも至極自然のことであります。

暴力肯定の出自と成り立ち

では、「暮らしのなかの中華人民共和国史」とは何だったのか。

まず、中国共産党の成り立ちからその性質を見てみよう。中国共産党を創ったのは、「中国人民の偉大な領袖」の毛沢東です。その毛沢東は一九二七年に「湖南農民運動視察報告」を出して、建党まもない革命の基本方針を定めました。

「土地を持つ者はみな劣悪な紳士と土豪だ。地主階級を地面に叩きつけて、その上でさらに足で踏みつけよう。土豪と劣悪な紳士の御嬢さん、若奥さんの豪華なベッドに寝転がってみよう。……こうすることで、農村に一種の恐怖の現象を創ろう」

と、毛沢東は呼びかけています。当時の中華民国政府への挑戦はこのように「農村から始まり、都市を包囲する」形式で広まっていった。

流氓（ルンペン）的無産階級の性質を持つ毛沢東らはその後南中国に「革命の根拠地」を設置して、中華民国政府に抵抗をつづけました。根拠地を「理想的なソヴィエト」だと謳歌する中国政府と日本の一部の教科書ですが、実態は山賊の割拠だった。割拠地の実態を一九八〇年代から調べていた、政府系の『解放軍報』の中国人ジャーナリストの陳歆耕は『赤色悲劇』という本を二〇〇五年に香港の時代国際出版社から出版しました。著者は、共産党紅軍内部の熾烈な内ゲバを当事者の証言から再現しています。

「一九三〇年一二月七日、紅軍はその内部のアンチ・ポルシェヴィク団（ＡＢ団）とされる者を捕まえて、大量に処刑した。線香で女性の陰部を焼いたり、刀で乳房を抉ったりした」

と当事者は訴えます。犠牲者の数については諸説がありますが、結局、紅軍の一個

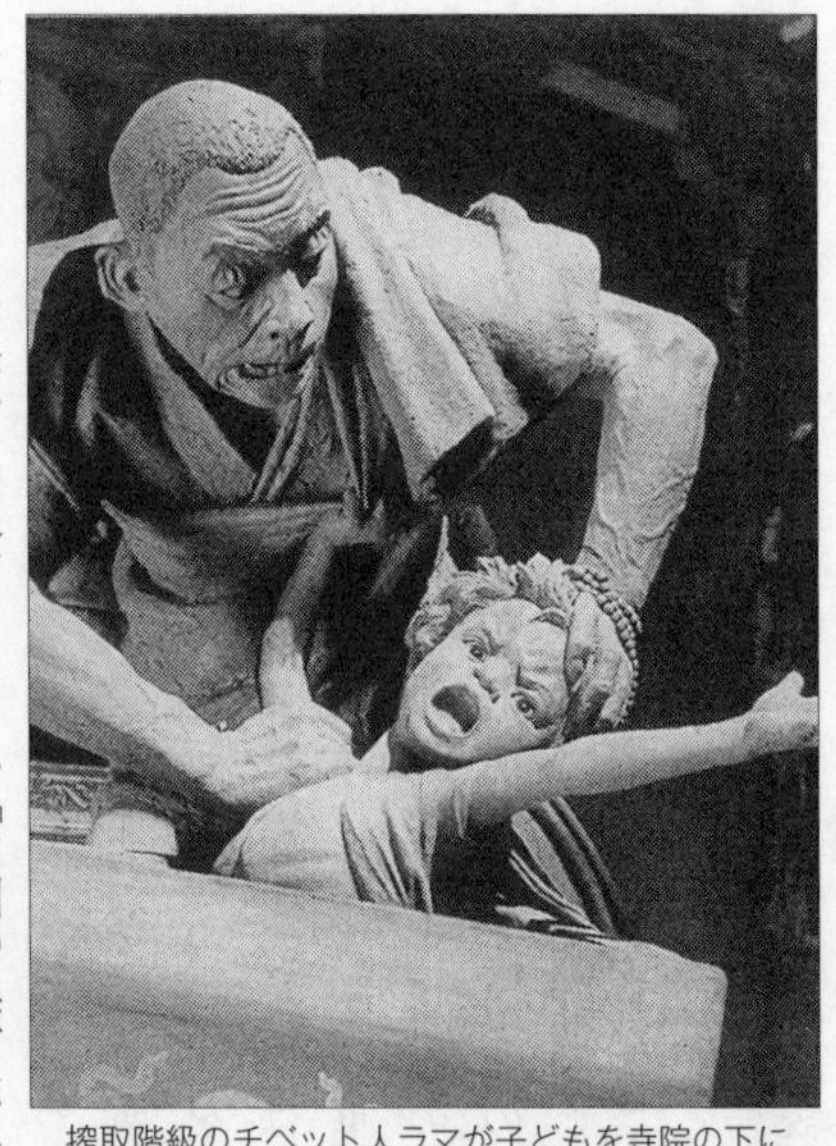

搾取階級のチベット人ラマが子どもを寺院の下に埋め込もうとしている風景。ありもしないことを事実のようにでっちあげるのは中国の常套手段

軍団数万人が消されているのは事実だ、と陳歆耕記者はいいます。「中国人は常に他人、帝国主義らの残忍さを強調するが、自身の残虐さについての反省が足りない」、と陳歆耕は書いています。

毛沢東の中国共産党は一つの階級全体の消滅を理念としていました。「搾取階級」です。毛沢東の調査によると、「中国の農村は九五パーセントが被搾取階級で、残りの五パーセントは土地を有する搾取階級の地主だ」といいます。共産党はその五パーセントの人々の物理的な消滅を着実に進めてきました。中華人民共和国が建国した当初はおよそ四億人の人口を擁していたが、その五パーセントは如何なる数字か、読者も容易に計算できる規模でしょう。

中国の気骨ある作家の廖亦武はずっと弾圧されてきた「地主」たちの調査をして、『最後の地主』を二〇〇八年に書き上げて、香港労働改造基金出版から出しています。人間は一旦、「地主階級」に政府によってカウントされると、土地などすべての財産が没収されて、処刑されるだけでなく、その子孫たちも二度と社会的に上昇できないように、徹底的に抑圧する仕組みを中国政府はずっと維持してきました。階級的な身分を明記した「戸籍档案」という制度です。

自縄自縛のシナ革命観

近代日本の知識人たちはほぼ例外なく「シナ革命」に憧れていました。憧憬する以上は、中国人記者のように「革命根拠地」に入って実地調査をして、現地の人々の生の声を教科書にも反映すべきだったのではないでしょうか。

現代中国は意外に数値に厳しい国家です。何でも、あらかじめ数値目標を設定してから、その任務の達成にかかる特色を持っています。建国直後に政府は「反革命分子を鎮圧する運動」、略して「鎮反運動」のキャンペーンを実施しました。こちらも中央政府から「およそ五パーセント」を殺害の目標に命じられました。

各地の地方政府もむろん、忠実にその「任務」を完成していた事実は、中国共産党党史出版社から二〇〇六年に出た白希の著書『開国大鎮反』にも詳しく描かれています。中国政府公認の研究成果であるが、なぜか、日本の教科書編纂者たちの知識にはなっていないのです。

毛沢東も中国共産党員もほとんどが無学の農民の出身だった。彼らは「地主の柔らかいベッドの上で寝転がる」のを夢みる、歴代のシナ王朝にあった反乱軍と大差はなかったのです。共産主義云々はあくまでもスローガンに過ぎなかった。だから、一九五七年から、毛沢東の中国共産党は「反右派闘争」を開始しました。「右派」とは、知識人を指す概念だったのです。東ヨーロッパの社会主義陣営も全体主義に疑問を示して、ソ連に抵抗しはじめた時代です。

全体主義体制の動揺に危機感を覚えた毛沢東は、国内の知識人たちも不満だったのを察知し、彼らを一掃する決心をした。かくして、一二〇万人もの知識人が「反革命の右派」として粛清されました（丁抒著『陽謀―反右派運動始末』、二〇〇六年、香港開放雑誌社）。

当時、高等教育を受けた「大知識人」たちはすでに一九四九年に国民党と共に台湾に渡っていたし、大陸に残っていたのは、無学の農民にシンパシーを抱く、初等教育を経験しただけの「小知識人」ばかりでした。それでも、中国共産党は彼らの存在、彼らの批判を許さなかったのです。

知識人とは、近代化の原動力で、論理的な思考ができる集団です。帝国主義による中国侵略についても、自国政府の無能と自国民の残忍性と後進性も含めて、トータルな思索ができる人々です。魯迅もいわば、そのような一人だった。反知識人という体質には、中国共産党の反近代性の特徴が認められるでしょう。このような、時代の潮流に逆行する体制についても、日本の教科書と知識人たちは、正面から反論すべきです。というのは、日本はアジアにおける近代化の先頭に立ってきたからです。

反右派闘争と同時に、中国政府は人民公社化を強力に推進しました。農村部では各個人がすべて人民公社の社員として畑で働かされ、食事も「公共食堂」で取らなければならなかった。個人には何ら財産を有する権利を与えていなかった。結局、努力した者と怠ける者との所得の差もないことから、生産高は上がらなかったのです。それでも、政府は農民から大量の食糧を調達して、「アフリカの同胞たちを支援」しつづけた。農村で餓死者が続出し、田畑が荒廃していきました。

今日、国営の新華社通信の記者だった楊継縄が政府の公文書を用いた研究によると、およそ三六〇〇万人が餓死した、という（『墓碑―中国六十年代大飢荒紀実』二〇〇八年、香港天地出版）。

「三六〇〇万人という数字は、日本国民の四分の一にあたる。日本でこれだけの餓死者が出たら、どうなるのか」。

「習近平は日中戦争の犠牲者は三五〇〇万人と主張しているが、中国政府が責任を取らなければならない犠牲者数は三六〇〇万人だ」

などのように分かりやすい比喩を使って、学生たちに現代史を教えるべきではないでしょうか。管見の限り、このような試みをしている学校はまだないのではないでしょうか。

毛沢東は「地主階級を打倒して、更に足で踏みつけよう」と呼びかけていた。実際、一九六六年から一九七六年にかけて、文化大革命が発動されると、革命的な青年たちはそのように実践しました。それだけではなく「人民の敵を食ってしまえ」、と人間を食べる運動も横行していました。もっとも有名なのは、広西チワン族自治区で発生した「食人運動」です。

「頼むから、先にとどめを刺してから食べて」

と至るところで、「反革命分子」とされた人たちはそのように「革命幹部」に懇願した（鄭義『紅色記念碑』一九九三年、華視文化公司出版）。いまだに、いったいどれほどの人間が「革命の敵」として、共産主義のカニヴァリズムの犧牲者になったか、正確な統計すらない。「革命の食人運動」について調べた正義感ある記者の鄭義もアメリカに亡命せざるを得なかった。

文化大革命の被害者の全容については、まだ明らかにされていないのです。

一九八一年六月に開かれた「中国共産党第一一期中央委員会第六回全体会議」によると、「一〇〇〇万人以上が犠牲となり、直接・間接的に迫害を受けた者は一億人に達する」との公式見解を出していました。これが、「二〇世紀の十大歴史的事件の一つとしての文化大革命」の実態であります。むろん、この天文学的な犠牲者は、「西欧列強や日本帝国主義者」が創出したのではなく、「中国人同士が作った現代史の結果」です。

「日本敗戦後の国共内戦に至るまで、同胞あい打つ内戦を繰り返す悲劇も中国は経験してきた」、と良識ある中国人は理解しています（陳東林・苗棣・李丹慧編『文化大革命事典』一九九六年、中国書店）。中国政府は一度も、国民に納得のいく説明をしてこなかったのです。

悪のお互い様論は無意味

ここまで、私は「具体的な数値が語る中華人民共和国史」を整理してきました。こうした歴史は研究者たちに共有されながらも、日本の教科書に反映されていない事実についても、指摘しました。では、日本側はこうした実例をどのように理解し、消化すべきでしょうか。

「お宅もさんざん悪いことをしてきたのではないか」と反論すれば、それは紅衛兵の思うツボにはまってしまうだけです。むしろ、中国は日本の侵略こそ強調しながらも、自国民に対しては歴史修正主義的政策を進めている事実を指摘すべきではないでしょうか。もちろん、こちらも紅衛兵との「きちんとした議論」は期待できない。中国には「唯一にして正しい、中国共産党の歴史観」しか許されないし、かたや日本は多様性に富んだ論壇が成熟した国です。

中国側に多様な歴史観が現れない状況下では議論は不可能だし、あっても不毛の論争になるだけです。隣の中国の人たちが成熟した国民になってはじめて、日本との間で歴史の対話のチャンネルも増えるでしょう。

日本の高校では学生たちが「日本史」と「外国史」のどちらかを選択するようになって久しい。このような仕分けもまた問題です。そもそも歴史には単純な自国史と国際史はない。近代日本も国内の問題を孕みながら朝鮮と中国、そして満洲とモンゴルに突進していった。植民地としての朝鮮と満蒙、そして台湾での営為も「本土史」の延

中国共産党の革命の聖地を巡礼するアフリカや朝鮮からの人々

長にすぎない。かの毛沢東も「日本の侵略がなければ、共産党による政権奪取はない」、と素直に話して、日中の現代史の相互作用と相互連動を認識していました。

日本の中国侵略は共産党政権の誕生を促したし、共産党が数値目標を掲げてさまざまな「人民の敵」を殺害してきたのも、日本の過去と無関係ではない、と歴史教育はおこなうべきだし、その成果を更には中国人たちにも伝えなければならない。こうしたダイナミックな歴史認識が醸成されてはじめて、日本人と中国人は共存できるのではないか。暴力についても、国境を越えて理解できるようになれるからです。

歴史はまた思想の形で、世界と連動します。毛沢東はまた「中国こそが世界革命のセンター」だと自国を定義していた。その結果、中国は「毛沢東流革命思想を世界に輸出」しようとして周縁世界へと膨張し、他国の内政に干渉しました。紅衛兵たちが「革命の聖書」だと礼賛していた『毛沢東語録』は一時、二四ヵ国語に翻訳されて、計五〇五億冊も印刷されて、世界各国に配布されました（馬継森『外交部文革記実』二〇〇三年、中文大学出版社）。

その結果、毛沢東の暴力革命の思想が伝わったカンボジアではポルポト派による大量虐殺が発生し、南米でも共産主義運動は麻薬密造グループと結託して今日まで生きながらえています。日本でも、「造反有理・帝大解体」を叫んでいた青年たちは毛沢東思想に憧れていたし、なかには「浅間山荘」に上がって、「農村から都市を包囲する」道のりを実践しようとしたグループまで現れたのは、そう遠い昔のことではありません。

このような「自分の身上」に発生した出来事を内々に処理し、少なくとも隣国と連結して思考する歴史教育はまだ、日本ではできていません。当然、カンボジアと日本での「反射された歴史」を本家の中国にも伝えなければならない。彼らにも大きな責任があるからです。

紅衛兵が創出する外交の近未来

習近平の部下である王毅外交部長は、日中国交正常化以降に設立された「北京日本語研修センター」通称「大平学校」を出た教師に教わった人物で、私の先輩にあたります。彼らが抱く日本観を私は大学で学ばされたのです。

習近平当局の歴史観と外国観の思想的な淵源は、これまで示してきた中国現代史に内包されています。中国現代史こそが、彼ら紅衛兵のメイキングする外交政策を決定しています。習近平の中国は、今の自民党安倍政権とは直接対話をせずに、「野党や民間の日中友好人士」とは積極的に交流を行なおう、とのビジョンを示しています。なぜ、元紅衛兵たちはかくの如き外交政策を打ち出すのかについても、私自身の経験に即して、一つの見通しを示しておきたいです。

私の手元に今、一冊の『読報手冊』があります。中国共産党中央委員会が文化大革命中の一九六九年に制定した『世界情勢のガイドライン』です。習近平も外交部長の王毅も、まさにこの『世界情勢のガイドライン』を熟読した世代です。彼らの世界認識と外交政策の制定に大きな影響を及ぼした同書には次のような文言があり、引用しておきましょう。

今や多くの日本人民も、毛沢東思想だけが日本を救える、と信じるように変わった。日本の真のマルクス・レーニン主義者たちも毛沢東主席を熱愛している。……毛沢東思想に導かれた日本人民は、一九六七年と一九六八年前半期において、『日米安保条約』を粉砕し、米軍基地の設置に反対し、ベトナム人民の反米闘争を支援しようと立ち上がった。日中友好を守り、米軍原子力空母が佐世保基地に入るのに反対している。千葉県三里塚の人民たちも自分たちの土地が米軍基地にならないよう戦い、二〇〇〇人ほどの反動的な軍と警察を撃退した。一九六八年六月には、東京でも一万人に上る学生たちが反動的な警察と闘争した。みんな『毛沢東語録』を手にして、毛沢東主席の画像を掲げて、「毛沢東思想万歳」と叫んでいた。

この『新聞報道のガイドライン』が作成された当時の中国も今と同じように、国際社会で孤立していました。「国際友人」を増やすのには、外国の「反動的な指導者ではなく、民間の親中国派と団結しよう」、と共産党中央は指針を示していました。

毛沢東思想に深く感化された習近平と王毅部長たちが再び文化大革命中の外交思想に回帰した理由は、先に例示した文中にある、と指摘しておきたい。習近平当局は安倍政権を「反動勢力」と見なし、舛添元東京都知事や日中友好議連のような「日中友好人士」に照準を当てている理由も、彼らはどっぷりと『毛沢東語録』に浸かっていた事実と無関係ではないのです。

「日中友好人士」は何をすべきか

では、紅衛兵に狙われた民間の「日中友好人士」たちは何を成すべきでしょうか。言い換えれば、「日中友好人士」はどのようなスタンスで中国と対面すべきでしょうか。

中国をめぐる日本の思想界は二分しつつあります。社会主義が退潮して数ヵ国しか残らなくなった現在でも、「日中友好人士」たちはまだマルクス・レーニン主義は善なる思想で、それを実践した諸国も「人類の理想郷」だと謳歌する境域から脱出できていない。

社会主義国家で暮らしてきた私からすれば、「日中友好人士」たちは勘違いしているといわざるを得ません。大量粛清を断行していた旧ソ連と、自国民三六〇〇万人を餓死させた中国は決して無条件で賛美に値する体制ではないのです。中国とソ連の社会主義者らは他にも人道に対する罪を数多く犯してきました。モンゴル人とウイグル人、それにチベット人に対する弾圧は今も続いています。

二〇一四年七月に入ってから、チベット人の焼身自殺者は既に百数十人に達しました。敬虔な仏教徒である彼らは圧政を敷く他者に暴力的に応ずるのではなく、我が身を炎に化して抗議しているのです。

共産主義思想の日本への伝播は他国と異なっている点もあります。「西学」や「洋才」の一環として紹介されたが、制度としての実践はなかったので、日本は社会主義の赤色テロの暴虐から免れました。「日中友好人士」たちは日本の近代史を批判してきましたが、中国による周辺国家への帝国主義的拡張とモンゴルやウイグル、それにチベットに対する侵略行為にもぜひ注目してほしいです。

中国の歴史修正主義こそ問題である

私はモンゴル人であって、中国人ではない以上、必然的に中国の中国人紅衛兵的歴史観とは異なります。私の故郷の内モンゴルはモンゴル国と一つのまとまった文明体でありつづけました。一九一一年に、モンゴルの北の半分、俗にいう「外蒙古」は独立できましたが、「内蒙古」は中国人軍閥に占領されました。その後、モンゴル人たちは積極的に大陸に進出してきた日本を利用して、中国からの独立を実現しようと闘ってきました。

日本ももちろん、モンゴル人を対中国と対ソ連の戦略に用いていました。アメリカの「歩く歴史家」オーウェン・ラティモアの指摘を借りれば、「モンゴル人民族主義者と日本のアジア主義者は相思相愛だった」（オーウェン・ラティモア『満洲に於ける蒙古人』）。日本が敗退した後、内モンゴルのモンゴル人たちはモンゴル人民共和国との民族の統一を求めましたが、大国同士で勝手に交わされた「ヤルタ協定」により、ひきつづき中国に占領されて今日に至ります。そのヤルタの密談には、モンゴル人は一人も出席していなかった。

中国はその後、台湾と香港、そしてマカオに対しては『民族の統一』を美しい理念として使用しつづけてきましたが、モンゴル人同士の民族統一を「分裂的な活動」だと決めつけています。

モンゴル人が過去に日本の力を活用して中国から独立しようとした民族自決の歴史を清算しようとして、一九六六年から三四万人を逮捕して、二万三七〇〇人を殺害し、一二万人に障害を負わせました。当時、一四〇万人だったモンゴル人からすれば、実に五〇人に一人が殺害されたことになる。あるモンゴル人ジャーナリストは次のように指摘しています。

「日本が南京で三〇万人を殺したと中国人はいいます。事実だとしても、当時の四億人の〇・七五パーセントにすぎず、中国の受けた打撃もさほど大きくはないはずだ。

の草原』、二〇〇二年)。

それに比べて、小さな民族のモンゴル民族が文革中に払った代償はあまりにも大きく、未だに回復できていない」という(シャラブジャムソ『犂の下に置かれた内モンゴルの草原』、二〇〇二年)。

中国政府は私たちモンゴル人に対して、未だに謝罪はしていないし、賠償もしていない。今日、中国は自らの革命を「西欧列強から自立を獲得した正義の歴史」だと主張しながらも、中国の圧制からの独立をずっと追い求めてきたモンゴル人やウイグル人、そしてチベット人の闘争を歴史修正主義の視点で批判し弾圧を強めています。内部においても多様な歴史的実体を抱えながら、日本に対して強烈な批判を加えているところに、彼ら自身が実際は二重の基準で歴史をイデオロギー的に活用している真実を示しているのではないでしょうか。「歴史を鏡としよう」とか、「自分の欲さぬことを他人に強要しない」とか、紅衛兵たちも今となっては「儒学者」のように振る舞いますが、国内の諸民族の平等と団結をいうならば、まず、モンゴル人に対して文化大革命時代の歴史を清算しなければならない。そして、現在進行中のウイグル人「テロ」とチベット人の焼身自殺の抗議活動にも真摯に対応すべきではないでしょうか。以上のように、現代史には国内外の区別もなく、事実はすべて連動し合っているからです。日本も「チャイナ紅衛兵」からの挑戦に備えなければならないでしょう。

第七章　習近平は第二の毛沢東になるのか

毛沢東を称賛する中国のポスター

中国の習近平総書記は二〇一八年三月に北京で開かれる全国人民代表大会で自らの名前を冠した思想を憲法の中に書き込みました。これによって、中華人民共和国の創設者毛沢東と並ぶ権威が確立されることになります。

習近平を権力の頂点に据えようとして、その側近たちは周到に用意してきました。まず、二月二五日に国営の新華社通信を利用して、英文で国家主席の任期制を撤廃する方針だと報道。インターネットの時代とはいえ、実はこうした手法も中国共産党の伝統を踏襲したものにすぎません。昔、新しい重大な政策を実施する前には必ずといっていいほどまず香港や台湾に「リーク」して国際社会の反応を探り、それから国内へと導入していく。習近平とその側近たちもまた前例に従っただけです。

案の定、国際社会は大きく報道し、習の独裁体制の確立か、との趣旨の報道が大きかった。国際社会よりも国内の方が深刻です。おりしも一九一六年に中華民国の大総統だった袁世凱が皇帝の座に就こうとして復古的運動を行った時期から一〇〇年の歳月が過ぎ去ろうとしていたこともあり、「一世紀が経っても中国は近代的な国家に脱皮できていない」とか、「歴史に逆行する」などのような批判の声が上がりました。

当然、習政権はこうした人民の声を封じ込んで、時代と逆行する道をひたすら走り続けようとしています。では、こうした中国の前近代的な政治状況をどのように理解すればいいのでしょうか。

毛沢東の血腥いカリスマ性

マックス・ウェーバーはその大著『経済と社会』の中で、古今東西にわたる世界史的規模の社会制度について分析した際に、支配の三つの類型を示しました。それは、カリスマ的支配と伝統的支配、そして合法的支配です（『権力と支配』一九六七年、有斐閣）。カリスマ的な支配は狩猟のリーダーや部族の勇将の活躍に淵源し、超自然的な力を持つ者が集団を統率するのに神から遣わされたという神的性質を帯びる。伝統的な支配は歴史に基づく風習や家柄、身分に即した秩序を重視します。

そして、合法的支配は人民と支配者の双方に法律の順守を求めます。中国共産党が作り上げた支配体制はどれも前近代的であり、一九四九年に中華人民共和国が樹立して来年で建国七〇周年を迎えようとしているにも関わらず、いまだにどの側面にも進歩が見られません。

まず、カリスマ的支配です。

「建国の父」たる毛沢東はカリスマ的支配の重要性を認識していました。中華民国に対して反乱を起こし、鎮圧されて弱小勢力となると、毛沢東は配下の紅軍を率いて、国民党軍の掃討から逃亡しようとして南国江西省を発ちました。歴史上の農民反乱軍のように特定の方向もなく、四川や貴州といった南西部の山奥にまで逃げ込み、名実ともに「流賊」となります。

その後はチベット東部を経由して北部中国の陝西省の延安を目指し北上する。実は、毛沢東が辿った道は、有史以来、モンゴル高原の遊牧民が南下してシナを征服する際のルートでした。毛沢東はそのルートを遡っていって、全滅から逃れることができたのです。私は実際に毛沢東の行軍路線を歩いて、実証したことがあります（楊海英『モンゴルとイスラーム的中国』）。

北部中国へ移動していく途中に、毛沢東は不名誉な逃避行を次から次へと神話に創りあげていった。「毛は不死身だ」とか、「毛は救世主だ」とかの伝説を広げながら一路、陝西省を目指しました。江西省を発った時に約一〇万人いた兵士も延安に落ち着いた時には三万人ほどに減ったのです。それでも、毛沢東らは逃避行「長征」や「北上抗日」との美談に作り変えることができました。

毛沢東ら南国からの紅軍を地元陝西省北部の共産党員たちは歓迎しなかった。「地元の英雄を殺さない限り、人心は得られない」と判断した毛沢東はその有力者の一人劉志丹を暗殺したことで、習仲勲と高崗らは屈服せざるを得なかった。それだけではない。ほとんど字も読めないシナの大衆を相手に、自らの権威を確立しようとした毛沢東は、歴代皇帝と同じように、民謡を利用しました。陝西省北部の素朴な民謡に革命的な歌詞を吹き込んだ、『東方紅』です。

東方は紅色に染まって太陽が昇る
中国には毛沢東という男が現れた。
彼こそ人民の為に幸せをもたらし
彼こそが人民の救いの星だ。

地元の英雄劉志丹を殺害して、新しい「救世主」となった毛沢東のこうした宣伝はライバルの蒋介石を遥かに凌いでいました。日本にも留学した経験を持つ蒋介石は『中国の命運』という著作をしたためて国民の一致団結を呼びかけましたが、その影響力はごく一部の秀才階層の範囲内で広がらなかった。毛沢東の方が最終的に勝ち、一九四九年に北京入城を果たして、それまでに清朝の皇帝が座っていた権力の座に鎮守することができました。

中国共産党と毛沢東の神話づくりに協力したのは、アメリカ人のジャーナリストで、共産主義シンパのエドガー・スノーでした。毛沢東自身の加筆と検閲を経て出版した『中国の赤い星』（ちくま学芸文庫）は世界中にユートピアのような中国共産党のイメージを伝えたし、最も深刻な「中毒症状」に陥ったのは日本の中国観察者たちです。騙された日本の中国学者と称する人たちは『中国の赤い星』が描く「理想的な中国とその偉大な指導者」に憧れていただけでなく、学校教育や学会活動を通して、ありもしない「美しい中国」を日本社会に広げて

毛沢東を称賛する洗脳教育は子どもからスタートしている

しまいました。

反マルクス・レーニン主義の毛沢東思想

「皇帝」となった毛沢東はずっと彼と同じ出身地の南方系の共産党員たちを重用しました。陝西省北部出身の共産党指導者で、かろうじて生き残っていた高崗は日本が撤退した後の旧満州の最高指導者となり、中国も参加した朝鮮戦争を支援した功績で国家副主席となるものの、一九五四年夏に自殺に追い込まれます。

もう一人の習仲勲も国務院副総理になるものの、一九六二年に失脚。かの劉志丹を描いた小説の執筆と出版を支持した、と毛沢東らに因縁を付けられたからです。習仲勲は毛沢東が発動した文化大革命中にその故郷の陝西省に連行され、長期間にわたって暴力を受け、身をもって共産主義体制非人道的な実態を経験しました。

マックス・ウェーバーによると、カリスマ的な指導者には、忠誠を尽くす家臣団が欠かせないといいます。毛沢東の強力な家臣団はすべて彼と同じく、中国南部出身者からなります。その家臣団員たちは、中華人民共和国の建国後も毛沢東のカリスマ性の維持を怠らなかった。国防部長であった林彪元帥は「毛主席の一言は他人の一万句よりも威力がある」や「毛沢東思想はマルクス・レーニン主義の頂上だ」のように語って、毛沢東思想を位置づけました。

マルクス・レーニン主義も絶えず発展し、少しずつ充実していくものだ、と世界中の共産主義者たちは唱えていたのに対し、「頂上」になったらもうその先に「発展」もありえなくなる、と当時から批判する者はいました。それでも、毛沢東とその家臣団はあえて、彼らが信奉する唯物主義の弁証法にも違反する言説を意図的に宣伝していました。

カリスマ的支配は、古くから行われてきた権威に基づく伝統的支配と、成文化された秩序による合法的支配と鋭く対立します。伝統は前例に拘るし、官僚支配は規則に束縛されるからだ、とマックス・ウェーバーは喝破しています。

案の定、毛沢東治下の中国は一九五八年から人民公社の公有制を導入した際に経済の破綻をもたらし、およそ三六〇〇万人が餓死しました。つづく一九六六年からの文化大革命期でも数百万人が政治的テロの犠牲となり、真相はいまだに解明されていない。国内だけではない。北京はまた「世界に革命思想を輸出」して、各国の内政に干渉しました。一例を挙げると、カンボジアでポルポト派による大量虐殺が発生したのは、まさに毛沢東の暴力革命が導入された結末です。

毛沢東に復讐する習近平

毛沢東がその居城の中南海から消えて、天安門広場の一角に立つ建物内のミイラに変わっても、カリスマ的統治にすがろうとする中国流の政治は衰えません。二〇一七年秋に開催された中国共産党大会の期間中に現れた歌は次のように習近平を称賛しています。

至るところにあなたの声が聞こえ、
全国はあなたの光芒に照らされている。
……
習大大（シーターター）（＝習近平）は
世界人民に愛されている。
習大大は正義感に溢れ、
虎と蠅を共に撲滅している。

歌の旋律と歌詞はかの陝西省北部の民謡『東方紅』を猿真似しています。首都北京だけでなく、貧しい農村の児童たちも粗末な椅子に座って、石でできた前近代的な机に向かって習近平を礼賛するこの歌を唄わされていました。

まるで時計の針が文化大革命期に逆戻りしたかのようなキャンペーンは各地で見られました。貴州省の『黔西南日報』は習近平を「偉大な領袖」、地元北京市の蔡奇党委書記は「英明な領袖」と呼んでいました。遼寧省の党委書記李希則は、「習近平思想はわれわれの灯台だ、進むべき道を指し示す北斗星だ」と表現したし、国防部長の常万全は「総書記の演説は天地を感動させる力を持ち、まさに大愛無疆だ」と持ち上げました。

これらの言葉はすべてかつて毛沢東の神格化に使われたものですが、習近平の家臣団もこうした古い思想的武器を拾い出して国民に対して洗脳のキャンペーンを進めています。

習近平は毛沢東を師として仰ぎ、その政治手法もあらゆる面で毛沢東を模倣していると言われています。これも無理はない。一九六二年に父親の習仲勲が打倒されたとき、近平は九歳になっていました。高級幹部の「赤い太子」から一転して白眼視される「反革命分子の犬っこ」に転落していました。

やがて一九六九年春にはその実家の陝西省北部に下放されていくが、そのときは一六歳でした。彼は結局、小学校五年間の教育しか受けていなかったので、体系的な人文社会科学的な知識にほとんど接してこなかったのです。この時代に育った中国人の頭の中に叩き込まれたのは「毛語録」だけであって、文学や化学の知識は極端に少ない。そのため、習近平は口を開けば「毛語録」を引用するのも決して奇怪なことではない。彼の頭の中にはそれしかないからです。「師匠」の毛沢東は中国の古典に精通し、華麗な文章からなる「四書五経」だけでなく、巷に流通するポルノ小説にも詳しかった。マルクスやレーニンの著作も日本語からシナ語に翻訳された物には目を通していたようです。前に述べたように、国民党軍による掃討から逃亡していた最中でも、彼は漢詩を作って、周囲からの賞賛を勝ち取っていました。

しかし、習近平は知的な訓練を受けてこなかった。権威ある出版社から出された『習近平が語る治国理政』（二〇一四年、外文出版社）を二、三ページ読めば分かりますが、実に素朴で、いかにも小学校卒らしい作文です。これでは、「知的な面」でのカリスマ性は確立できない。習近平もそれが分かっているらしく、彼はどこに視察に行っても、あまりサインしたり、江沢民元国家主席のように揮毫したりしません。どれも、下手な字が大衆の前に晒されるのが怖いからでしょう。

毛沢東自身は銃を手にして前線に立たなかったものの、「人民解放軍は毛主席が創成し、林彪元帥が指揮してきた」という功績が認められていました。林彪を筆頭に、「十大元帥」がその家臣団を形成して支配を支えていました。習近平には軍歴がなく、当然、戦功もない。そこで彼は「反腐敗」キャンペーンを利用して軍の高官だった郭伯雄・党中央軍事委員会第一副主席と徐才厚・党中央軍事委員会副主席らを粛清して、新しい少壮派を抜擢して、家臣団を作ろうとしています。

従来あった八大軍区を五大戦区に改変したのも、家臣団育成の一環です。戦時ではなく平時であるにも関わらず、「戦区」との呼称を付けた点に、彼の好戦的な一面が現れています。カリスマ性を確立しようとする政治家はよく好戦的なポーズを取って、大衆に迎合しようとしています。習近平も例外ではありません。

好戦的な態度は実際の国際政治にも現れています。日本の沖縄県尖閣諸島を自国の領土だと主張したり、南シナ海の島嶼を軍事要塞化したりする覇権主義的な行動はすべて「軍功」の創出を演出しようとするものでしょう。

毛沢東流の共産主義統治は中国だけでなく、世界にも被害を与えた為、その弊害を清算しようとして、中国は一九八二年に憲法を改正しました。「毛沢東のような人物が再び現れたらどうするのか」、と深く憂慮し、個人に権力が極端に集中するのを是正しようと提案したのが、習近平の父親、復活したばかりの習仲勲でした。

今日、習仲勲の憂慮は現実化しつつあります。権力を一身に集めるだけでなく、「習近平新時代の中国独特色ある社会主義思想」を憲法に書き込み、毛沢東以上の野心を覗かせているのが、他でもない彼のご子息です。戦乱を生き抜いた毛沢東はカリスマ性の確立に成功しましたが、果たして戦功のない習近平にそのような可能性はあるのでしょうか。

第八章　「邪悪な国家」中国と世界、そして日本

住み慣れた草原が破壊され、故郷を追われることになった内モンゴル自治区のモンゴル人。自治が保障されていない以上、新たに自決を求めるしかない

二〇一九年は日本にとっても、世界にとっても、節目の年となったでしょう。昭和に引き続いた平成は終わり、五月から新しい紀元が始まりました。二〇一八年の「戦後七三年」を最後に、近代化を宣言した明治維新一五〇周年を機に、名実ともに「戦後」は終了したと理解してよいでしょう。

世界も同じです。

米中二大国は「貿易紛争」という看板を掲げて、政治と経済、それに科学技術といった分野で全面的な対立に突入しました。米国をトップとする西側陣営は人権や民主主義といった普遍的な価値観念を共有しているが、対する中国には世界に歓迎される思想は一つだにありません。従って、米中二大国の対立はかつて米ソをリーダーとする東西二つの陣営が資本主義か社会主義かというイデオロギーをめぐって争った時代とは自ずと性質が異なります。

米国は東西冷戦時代から民主と人権を擁護する旗手としての役割を果たしてきましたが（イスラーム世界からは別の見方も可能であることと矛盾しない）、中国は対内的には強固な独裁体制を構築し、漢民族を抑圧し、モンゴル人とチベット人、それにウイグル人に対してジェノサイドと民族浄化を断行し続けてきましたし、対外的には武力を背景に覇権主義的拡張を継続してきましたので、邪悪と非道徳の代表と見なされています。

世界はこれから、米国を代表とする正義対、中国風邪悪な勢力が相対峙する時代に入ろうとしています。中国流の邪悪はまた「国家型のテロル」でもあります。第二次世界大戦後に人類は善意と反省に基づいて築き上げた体制、具体的にいうならば、中国に「戦勝国」と常任理事国の地位を与えてしまったことを中国共産党が悪用して、どんな悪事を働いても、誰からも処罰されないモンスター型国家、中華人民共和国を樹立しました。

そして、この邪悪な国家は今や、世界と人類の健全な生活を脅かす最大の脅威となっています。今、日本に求められているのは、世界各国とともに如何に邪悪な国家・中国に対処するかです。

呪縛のヤルタ体制

邪悪な国家中国は第二次世界大戦の「戦勝の美味しい汁」を吸いながら、国際秩序を自国に有利なよう改編しようと挑発を続けています。沖縄県尖閣諸島を自国領と主張し、南シナ海の環礁を軍事要塞化して東南アジア諸国の正当な権益を略奪していま す。陸上でもインドとの間に領土紛争地（元々はチベットの領土）を抱えており、いつでも虎視眈々と自国領を拡大しようと軍拡を止めようとしていません。

中国の暴力行為に部分的な正統性を付与しているのは、一九四五年二月に米ソ英という三大巨頭間で交わされた「ヤルタ協定」の密約です。日本を東アジア戦線から追い出すための密約として、日本の北方四島をソ連に引き渡し、モンゴルを南北に分断して、南側の内モンゴルを中華民国に統治させる、という密約です。ヤルタ協定は密約ゆえに冷戦をもたらし、モンゴルに加えて、東西ドイツと南北朝鮮の分断も相次いで生じました。

密約には当事者が参加しておらず、国際法上の正統性に欠けています。そのため、ドイツ人は努力を重ねて民族と祖国の統一を実現しました。南北朝鮮と南北モンゴルだけ、複雑な国際関係に深く束縛され、そして何よりも古い帝国の中国が当事者となり、宗主国を称しているので、ドイツのように民族の統一が未だに実現されていません。当然、日本も北方四島を取り戻せないでいます。

しかし、ヤルタ密約を締結した当事者、即ちヤルタ体制を作り上げた当事者自身が今や戦後秩序を改変し始めています。二〇一四年三月、ロシアのプーチン政権は武力を背景に、ウクライナからクリミアを自国領に編入しました。奇しくも、因縁の地、ヤルタが内包される地です。もっとも、クリミアは少なくとも名目上は自治共和国で、そこの真の主人公はタタール人でなければならなかったが、ロシアにもウクライナにも弱小民族のタタール人の意志を尊重しようとする気持ちは最初からなかったでしょう。

ソ連の後継者であるロシアが率先してヤルタ体制を打破した以上、密談に参加していなかった日本とモンゴルにそれを順守する義務はもはやない。それにアメリカのブッシュ元大統領も二〇〇五年に第二次世界大戦終了六〇周年の記念行事の一環としてラトビアを訪問した際に、ヤルタ密談を「強国が交渉し、小国の自由を犠牲にした」と否定的に述べています。米国にもヤルタ密約の限界を指摘する声が上がっているからです。

従って、北方四島を占領し続けることと、南北モンゴルを分断させたままに放置しておくことの正統性は既に失われています。日本人とモンゴル人はもっと声高に領土の返還と民族の統一を主張していい時期が来ています。

他力本願の日本とモンゴル

時期が来ていても、日本人とモンゴル人が自決行動に踏み切れないのには、原因が異なっています。日本は対米配慮していますし、モンゴル人は単純に力量不足です。自国の安全保障をすべて米国に依存させている以上、自国領土を取り戻すのは不可能です。米国も所詮は米国の利益を優先して日本を利用するだけであって、日本の為にロシアから領土を取り返すリスクを冒さないでしょう。

希望はどこにあるのでしょうか。憲法を改正して、真の独立を果たし、自国の運命を自らの力と意志で守り通す体制を作らなければならないでしょう。

モンゴルはどうでしょう。

モンゴル人はかつて十三世紀にチンギス・ハーンという英雄を生み、世界帝国を建立したが、以後、衰退の一途を辿りました。衰退の原因は様々ですが、最大の要因はユーラシア規模での遊牧民対近代産業革命の利益享受者との競争の失敗です。騎馬軍の優位が、重火器を手にしたロシア人と中国人に打ち負かされてから、モンゴルは戦意を失っていきました。

ここでいうモンゴルは、狭い意味での現在のモンゴル民族ではなく、ユーラシア全域に分布し、テュルク系の言葉とモンゴル系の言葉を話す諸民族を指します。ユーラシアの遊牧民は今でこそいろいろな民族と自称していますが、一九一七年のロシア革命まではほぼ例外なく内部においてチンギス・ハーンの子孫から統率され、チンギス・ハーンの子孫と称してきましたので、広い意味ではモンゴルと言えます。

こうしたパン・モンゴリズム、場合によってはパン・テュルクリズムの形をも取る遊牧民の連帯意識の強化を恐れて、ボルシェビキ就中（なかんずく）スターリンはあの手この手でモンゴル解体に執念を燃やしました。だから、ヤルタでも、戦後においても、スターリンはとにかくモンゴル人の分断に熱心でした。内モンゴルを中国に割譲しただけでなく、東トルキスタンをも中国に渡して新疆という奇妙な行政組織を出現させました。東トルキスタンを中国の新疆に改造したために、テュルク系諸民族は分断されました。現在、ウイグル人はユーラシアのテュルク系諸民族の中で唯一、独自の国民国家を持たない民族です。独立を獲得しようとするウイグル人の闘争が終息するとは思えない。モンゴルもまた同様です。

騎馬の優位性が喪失されてからのモンゴル人はすっかり、他力本願の民族に転落してしまいました。一九一一年に清朝から部分的に独立できた北モンゴルも実際はロシ

ウイグル人に対し、中国を祖国として愛せよ、と呼びかけるポスター

アの援助があって成功しました。一九二四年に世界第二の社会主義国家、モンゴル人民共和国に脱皮できたのも、ボルシェビキの存在が大きい。しかし、ロシア人のボルシェビキは一九四五年八月にはモンゴル人に微笑みを見せませんでした。ソ連軍と共に万里の長城まで進軍し、同胞の南モンゴルを解放して統一した民族国家を創設したかったモンゴル人の夢はついにもっとも肝心な時にロシア人に粉砕されました。

他力本願の結末は、奴隷として生きる道をもたらします。

中国に占領され、中国の自治区とされてしまった内モンゴル自治区のモンゴル人たちは、一九四九年十月一日以降はまさに奴隷としての立場に立たされてきました。有史以来に住んできた草原が中国人に奪われて、開墾されて沙漠と化してしまいました(その沙漠からの黄砂は日本にも飛来するようになった)。遊牧は禁止され、モンゴル人は不慣れの農耕に従事させられて貧困化しました。

そして、一九六六年に発動された文化大革命中には三十四万人が逮捕され、十二万人以上が暴力を受けて身体障碍者とされ、二万七千九百人が殺害されるというジェノサイドを経験しました。まさに奴隷としての生きざまです(楊海英著『墓標なき草原―内モンゴルにおける文化大革命・虐殺の記録』岩波現代文庫、上、下、二〇一八年)。

中国人の民族性とマルクス主義

他力本願のモンゴル人は民族自決の機会を失い、日本は米国に依存して武士道精神が希薄となってしまいました。モンゴル人と異なり、中国人の善意を信じたウイグル人もまた凄惨な運命から逃れられない。彼らは二十一世紀に入った現在、一〇〇万人単位で強制収容所に閉じ込められています。母語による教育は禁止され、児童たちは中国政府によって誘拐され、女性たちは長城以南に連行されて性的産業に従事させられています。

人類は、かつてナチス・ドイツが犯した人道に対する犯罪を禁止し、反省したはずですが、なぜか、中国の無法ぶりだけは放任されています。放任され続けているからこそ、邪悪な国家としてますます幅をきかし、ついには人類全体で誰も中国をコントロールできなくなってしまった。中国を放任し続けた苦い果実を人類全体で味わう時代もやがては来るに違いありません。これも、遊牧民が他力本願の民族に落ちて、大国のアメリカと武士道の日本が中国との商売を優先してきた代償の一つです。繰り返し指摘しておきますが、日本も憲法改正を実現しなければ、アメリカの軍事力に頼るか、中国の「善意」に期待するかしかないでしょう。アメリカの軍事力がいつまで優位を保ちつづけるかは不明だし、中国はそもそも善良な存在ではありません。

中国はなぜ、邪悪な存在になったしまったのか。

原因は簡単です。漢民族の民族性がマルクス主義と合体したからです。漢民族は何の根拠もなく、自分たちが世界で最も優れている人種だと信じ込んでおり、多民族を無条件で漢民族へ同化させせようと文化的ジェノサイドを推し進めています。マルクス主義は人類の進化を発展段階論で解釈し、原始社会から奴隷社会、封建社会と資本主義社会、そして最高のユートピアとしての共産主義社会を思い描きます。資本主義の段階に達したヨーロッパの白人は優れ、その他の有色人種と非資本主義的な生業を営む諸民族は劣等民族だと断じます。

近代に入ってから、華夷秩序を信奉する漢民族はマルクス主義を導入したことを一層の進歩だと理解し、周辺民族への同化と侵略を以前よりも激しく正統化していった。華夷秩序の観点からすれば、日本は東夷であり、発展段階論に立脚すると日本は資本主義にとどまっているので、中国と漢民族は日本とモンゴルなど、世界各国との折り合いは悪く、衝突も永遠に続きます。日本はこの点をきちんと認識すべきでしょう。

日本は旧宗主国の自覚を持て！

日本は民主主義と正義の勢力を代表する国として、邪悪な存在である中国と戦っていく必要があります。その際にまず、二つの呪縛を自らを解かなければならない。もっとも、この二つの呪縛は今や国際社会から日本に付与しているものではなく、日本人自身が自縄自縛しているのを認識すべきでしょう。

まずは侵略史観からの脱却です。

二〇世紀初頭における帝国主義の拡張と植民地開拓は悪意の塊として意図的に創造されたのではなく、世界史の流れの中で自ずと形成された結果です。アジア（モンゴルはアジアではなく、ユーラシアですが）の多くの民族も帝国主義と植民地形成過程の中で覚醒し、宗主国と西洋列強からの自立を目指しました。

特にモンゴルとチベット、それにウイグルには反西洋列強の精神は毛頭なく、むしろ古い帝国、有史以来に対峙してきたシナ＝中国からの完全離脱が民族自決の目標であったので、必然的に日本やロシア、それにイギリスと手を組んだのです。従って、現代中国が事あるごとに主張するような「中国の諸民族が一致団結して大日本帝国や西洋列強と戦った」という事実はないし、中国にとどまって、「中華民族の一員」に甘んじるような態度を取ったこともありません。

モンゴルとチベット、それにウイグルを自国領だとするのは中国の一方的な主張であって、当事者は反対の立場です（楊海英著『モンゴル人の中国革命』筑摩新書、二〇一八年）。

こうした見解は当事者のモンゴル人とチベット人、それにウイグル人の事実に即した見方であり、少しでも歴史資料を客観的に検証すれば分かることです。それにも関わらず、日本の中国研究者や知識人たちはそうした事実を直視しようとせずにひたすら中国当局に迎合し、中国共産党の歴史観を日本国民に強制し続けています。

次は植民地史観からの飛躍です。

西洋列強と大日本帝国の古い植民地体制は一九四五年、第二次世界大戦の終了後に崩壊し、一九六〇年代には完全に消え去ったし、それに対する清算も完了しました。しかし、代わりに台頭してきたのは中国が国内外で強制する新植民地体制です。国内の諸民族を経済的に搾取し、政治的に弾圧し続けているだけでなく、近年では国境を越えて東南アジアやアフリカ、それに中東でも同様な行動を取るように変わってきました。

中国による新植民地開拓は現在、「一帯一路」という看板の下、自国を中心とする新しい国際秩序の構築と連動しており、既存の国際関係に対する挑戦を意味しています。こうした中国の行動に対し、日本はまず旧宗主国としての自覚を持つべきだ、と提案したいのです。

というのも、新興の帝国たる共産中国は、その新植民地体制をまず大日本帝国の植民地だった満蒙と朝鮮半島、それに台湾に対して敷いているからです。単純に比較すれば分かるように、大日本帝国の植民地経営は現地の近代化と発展を最優先としてしていました。これに対し、中国の新植民地体制は大量虐殺とすさまじい同化を特徴としています。

日本は自身の経験に即して、中国共産党に対し、大量虐殺と諸民族の同化、具体的には内モンゴル自治区とチベットへの移民増加と同化の強制、ウイグル人の強制収容と新疆における民族浄化を直ちに中止するよう要求すべきです。これは、民主主義国家日本の道義的な責任であると同時に、旧宗主国としての責務でもあります。

こうした点について、実はフランスが良い前例となっています。フランスはアフリカ北部の一部と中近東に植民地を有していたが、現在も宗主国としてこれらの地域と国に対し、毅然とした態度で、建設的な関与を続けています。日本人は謙虚と自粛を美徳としているでしょうが、相手が邪悪な存在であるために、美徳精神は通用しません。

時代は民族のエクソダスとイスラームの勃興に入りつつあります。その際たる実例がウイグルであると言っていい。イスラームと西洋基督文明との接触は古く、両者は流血を含む対立を経て、すでに豊富な問題解決の経験を積んでいます。しかし、イスラーム文明とシナ文明との折り合いはずっと悪かった。というのも、専制主義体制のシナは古代から自国の文明を唯一最高のものとし、外来の文明のシナ化を強制します。その結果、そのつど、強い衝突が勃発します。

もっとも現代に近い例を挙げると、十九世紀末の「西北イスラーム大反乱」になります。漢人のイスラーム差別に耐えられなくなったムスリムたちが陝西省西安付近から反乱を起こし、たちまち内モンゴルと甘粛、それに青海と新疆を巻き込み、ロシア領中央アジアにまで飛び火しました。清朝は全力を傾けて鎮圧に成功するが、もはや国力がそのために衰え、一九一二年に崩壊しました（楊海英著『モンゴルとイスラーム的中国』）。

現代中国は十九世紀末のイスラーム反乱から少しも学ぼうとしていない。ひたすら「イスラームの中国化」を政策として強調し、苛烈な勢いでムスリムの諸民族、ウイグルとカザフ、それに回族を弾圧し続けています。当然、ムスリム諸民族にも不満は鬱積しています。

中国のムスリム諸民族はさまざまな形で中東諸国と繋がっているので、同胞たちから同情の目で見られています。しかし、イスラーム圏にも独裁体制が多く、政治指導者の多くは中国と経済的な利益の面で繋がっているために、沈黙を保っています。

このような中国によるイスラーム敵視と、イスラーム圏指導者たちによる冷淡が重なって、静かにではあるが、ウイグル・エクソダスの環境が醸成されつつあります。神は、ある土地と権利を特定の民族に与えようとする際に、まずはその民族を苦しめ、精神性を鍛える、とウイグル人たちは今や旧約聖書の教えを噛みしめて耐え続けています。やがて、彼らはインディファーダに結集する時期が来るでしょう。

少数民族の区域自治だけでなく、漢民族の香港の「高度の自治」も形骸化したので、中国周縁部の遠心力は強まるでしょう。香港人の「中国人意識」はますます減り続けており、「香港民族」として「都市国家香港」の建立を目指す動きも現れています。というのも、民族自決ほど近代以降に形成された崇高な理念は他にないからです。そして、ユーラシア世界においても、ソ連の崩壊に伴って、諸民族はほぼ例外なく真の自決を実現させたので、ウイグル人だけにこの権利を永遠に与えない理屈は世界のどこにもないからです。

日本もイスラームと無関係ではない。すでに各都道府県にイスラーム協会があり、日本人ムスリムも増えつつあります。天下のムスリムはすべて兄弟なり、という理念がある以上、日本人ムスリムもウイグル人エクソダスを助けるでしょう。

日本は旧宗主国として内モンゴルに関与し、民主主義と正義の代表の一人として、ウイグル人の自決を促し、邪悪な存在で、国家型テロルを行っている中国と戦っていく準備をしよう。そうすることによって、憲法改正と真の自立も可能となるに違いありません。

モンゴル国中央部のホショー・チャイダムに建つ突厥の石碑。シナは邪悪な存在だと、遊牧民たちに警世の言葉を残す

あとがき

　私が書いた雑文を一つのまとまった本に仕上げることができたのは、ひとえに扶桑社の小原美千代さんのご理解とご支援による賜物です。小原美千代さんはモンゴル国と中国西北民族大学に留学されたご経験があり、とても美しいウランバートル弁のモンゴル語を話します。

　モンゴルだけでなく、西北中国に暮らすイスラーム教徒たちやその他の諸民族についても深い造詣を有していますので、中国を相対化できる編集者です。また、編集にあたり、編集企画室・オーヴァーオールの杉山大樹さんにも大変お世話になりました。記して、心から感謝申し上げます。

　また、産経NF文庫に加えていただく際に、産経新聞出版の書籍編集部編集長・瀬尾友子さん、潮書房光人新社の小野塚康弘さんにお世話になりました。この場を借りて篤く御礼申し上げます。

尚、文庫版の増補部分の初出は以下の通りです。初出時タイトルは「共に歴史に背を向ける日本と中国」。

第六章『世界』二〇一四年七月号。

第七章『正論』二〇一八年五月号。

第八章『正論』二〇一九年三月号（第十九回正論新風賞受賞記念論文）。

二〇一九年一二月

楊　海英

本書は二〇一四年九月、扶桑社刊行の「狂暴国家 中国の正体」を改題、第六〜八章を新たに収録、大幅加筆訂正しました。

装　幀　伏見さつき
DTP　佐藤敦子

中国人の少数民族根絶計画

二〇二〇年一月二十四日　第一刷発行

著　者　楊　海英
発行者　皆川豪志

発行・発売　株式会社　潮書房光人新社
〒100-8077　東京都千代田区大手町一-七-二
電話／〇三-六二八一-九八九一(代)
印刷・製本　凸版印刷株式会社
定価はカバーに表示してあります
乱丁・落丁のものはお取りかえ致します。本文は中性紙を使用

ISBN978-4-7698-7019-7　C0195
http://www.kojinsha.co.jp

産経ＮＦ文庫

産経NF文庫の既刊本

金正日秘録　なぜ正恩体制は崩壊しないのか

龍谷大学教授
李　相哲

米朝首脳会談後、盤石ぶりを誇示する金正恩。正恩の父、正日はいかに権力基盤を築き、三代目へ権力を譲ったのか。機密文書など600点に及ぶ文献や独自インタビューから初めて浮かびあがらせた、2代目独裁者の「特異な人格」と世襲王朝の実像！

定価〈本体900円＋税〉　ISBN978-4-7698-7006-7

中国人が死んでも認めない　捏造だらけの中国史

黄　文雄

真実を知れば、日本人はもう騙されない！中国の歴史とは巨大な嘘！中華文明の歴史が嘘をつくり、その嘘がまた歴史をつくる無限のループこそが、中国の主張する「中国史の正体」なのである。だから、一つ嘘を認めれば、歴史を誇る「中国」は足もとから崩れることになる。

定価〈本体800円＋税〉　ISBN978-4-7698-7007-4